The Master Key System

ザ・マスター・キー

チャールズ・F・ハアネル 著
菅 靖彦 訳

河出書房新社

ザ・マスター・キー

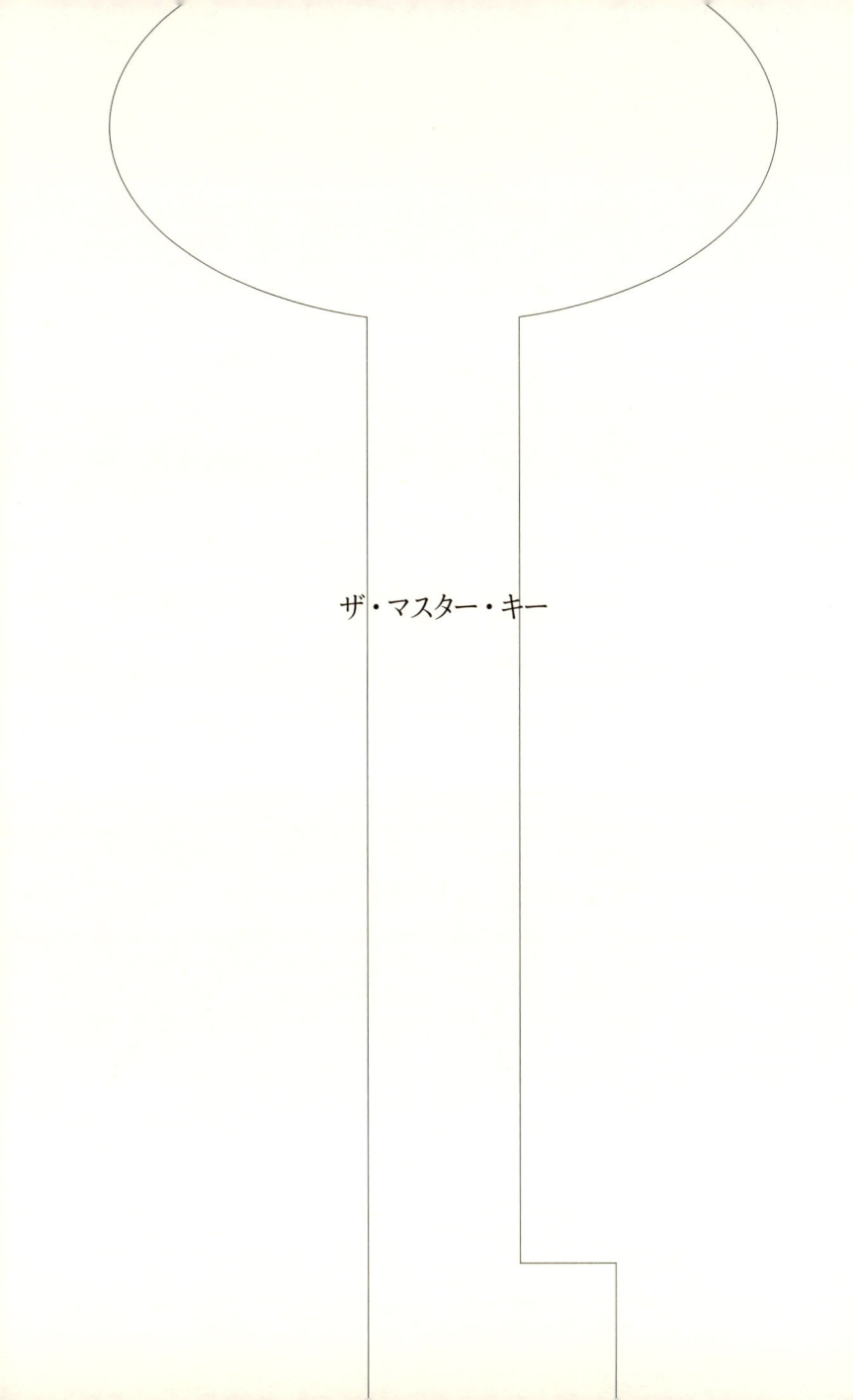

1917 年に初版が刊行されたこの自己啓発書の古典は、
当時としては画期的な 20 万部以上のベストセラーとなったが、
教会の思想に合わないという理由で、1933 年に発禁処分となった。
以来、70 年以上読者の前から姿を消していたものの
ナポレオン・ヒルやデール・カーネギーらがこの本に多大な影響を受けたと言われている。
さらに今世紀に入ってから、ビル・ゲイツがハーバード大学在学中に
図書館でこの本を発見、触発されて起業したと噂されている。
2007 年、全米で大ベストセラーとなった『ザ・シークレット』などに引用され、
大きな話題となった本である。

序文

万物は流転する、それが自然の摂理です。どんなに望んだところで、わたしたちは一ヶ所にとどまっていることはできません。正しいものの考え方をする人は一生動き続けることだけではなく、肉体の生命が尽きるまで、精神的に成長し、向上することを願います。

そうした成長を遂げるには、健全な考え方を身につけるしかありません。健全な考えが身につけば、それに伴って、行動や境遇が改善され、理想も高くなります。だから、創造的な思考のプロセスや思考法を研究することが大切なのです。思考が物事を創造するプロセスが曇りなく明らかになれば、地球上の人類の進化は早まり、人類は天上へと引き上げられることになるでしょう。

人類は情熱を持って「真実」を追い求め、真実に至るあらゆる道を探ります。そうした努力の道程で、取るに足らないものから高尚なものまでいろいろな書物が書かれてきました。それらは占いに始まり、種々の哲学を経て「マスター・キー」という究極の気高い真理に至るまで、思考の全領域にまたがっています。

「マスター・キー」は偉大な宇宙精神に触れ、志や願望を実現する手段を読者に提供します。

人間の手で生み出されたあらゆるものや制度は、まず最初に、心の中の観念として生み出されました。

わたしたちの身の回りの現実は、心の中の思考が形に現れたものなのです。思考は、宇宙の申し子としての人間の中で働いているスピリチュアルな力であり、建設的な力を宿しています。「マスター・キー」はその力の建設的かつ創造的な使い方を伝授します。わたしたちが現実になって欲しいと願う物事や状況はまず思考の中で生み出さなければなりません。「マスター・キー」はそのプロセスを説明し、誘導します。

「マスター・キー」の教えはこれまで二四のレッスンから成る通信教育として発行され、二四週間にわたり一週間に一レッスンずつ学びたいという人に配られてきました。今、二四の章を一度に手にしている読者に忠告しておきます。本書を小説のように一気に読まないようにしてください。学習のコースとして扱い、一週間に一つの章を何度も読み返して、各パートの意味を慎重に消化していってもらいたいのです。そうでないと、後半の章を誤解しやすくなり、読者の時間とお金が無駄になるでしょう。

以上に述べたような方法で「マスター・キー」を用いれば、読者はより偉大なすぐれた人格を身につけ、価値ある個人的目標を達成する新しい力を授かるとともに、人生の美と驚異を味わう新しい能力を獲得するでしょう。

F・H・バージス

ザ・マスター・キー　目次

まえがき

ある人たちはほんの少しの努力で権力、富、偉業などを手に入れるように思えます。一方、さんざん苦労した末に、望みのものを手にする人もいます。中には、野心や願望や理想をまったく達成できない人もいます。なぜそうなのでしょう？　なぜ一部の人は望みをやすやすと実現するのに、苦労する人や望みを全然実現できない人が一方にいるのでしょう？　原因は肉体的なものではありえません。そうでなければ、肉体的に完璧な人間がもっとも成功するということになります。よって、違いは精神的なものであるにちがいありません——心の中にあるにちがいないのです。というのも、心は創造的な力を持っていると考えられるからです。人生の道に立ちはだかる境遇や障害を乗り越えるのは、心なのです。

思考の創造的な力を十分に理解すると、その効果が驚くべきものであることが見えてきます。しかし、そうした結果を得るには、勤勉さや集中力が必要ですし、思考を適切に用いなければなりません。このシステムを学ぶ者は、スピリチュアルな世界を司っている法則が物質界と同じで、絶対確実なものであることを知るでしょう。ですから、望ましい結果を得たければ、その法則を理解する必要があります。正しく法則に従えば、必ず望ましい結果が得られます。このシステムを通して、パワーが外からではなく内側からやってくることを学び、自分の頭で考えられるようになった人は、即座に本来の自分を取り戻し、奇跡を行うのです。

もちろん、心は好ましい状況と同じぐらい簡単に否定的な状況も生み出します。わたしたちが意識するとしないとにかかわらず、なんらかの不足や限界や不和のイメージを心の中に抱き続ければ、そうした状況を生み出します。それは多くの人が無意識のうちに絶えずしていることなのです。

どんな法則もそうですが、この法則もえこひいきすることはありません。休むことなく働き、本人が心に生み出したものを間違いなくもたらします。言い換えれば、「蒔《ま》いたものは刈り取らなければならない」ということです。

よって、豊かに生きられるかどうかは、豊かさの法則をどれだけ認識できるかにかかっています。それは、心が単なる創造者ではなく、万物の唯一の創造者であるという事実を認識することでもあります。もちろん、何かを創造しようとしても、可能性を信じてそれ相応の努力をするまでは、何事も創造できません。たとえば、電気について考えてみてください。電気という現象はずいぶん昔から観察されていましたが、誰かが電力を供給する法則を理解するまで、人々は電気の恩恵にあずかることはできませんでした。法則が認識されたため、現在、ほぼ全世界が電気によって明るく照らされるようになったのです。豊かさの法則も同じです。その恩恵にあずかれるのは、法則を認め、調和して生きる人だけなのです。

今や科学的精神があらゆる活動分野を支配しており、原因と結果の関係は無視しえないものとなっています。

法則の発見は人間の進歩にとって、画期的な出来事でした。それは人生の不確実性や気まぐれな要素を排し、法と理性と確実性で置き換えたのです。

人間は今、どんな結果にも、それ相応の明確な原因があることを知っています。だから、一定の結果が欲しい時、その結果がどうすれば達成できるかを探し求めるのです。

あらゆる法則が拠って立つ基盤は、たくさんの個別の事例を比較して、それらすべてを生み出す共通因子を見いだす帰納的推理によって発見されました。

文明国家はその繁栄の多くをこの手法に負っています。人間が数々の価値のある知識を獲得してきたのもこの手法のおかげです。それは命を永らえさせ、痛みを和らげ、川に橋をかけ、昼の輝きで夜を照らし、視界を広げ、動きを加速させ、距離を縮め、交流を促進し、深海に潜ったり、空に飛び立ったりすることを可能にしてきました。それだけの恵みをもたらしたこの手法を、思考のメカニズムを解明することにまで応用しようとするのは当然です。この手法によって特定の思考が特定の結果を生み出すことが明白になった時、後に残されたのは、それらの結果を分類する作業だけでした。

マスター・キーは絶対的な科学的真理に基づいており、個人の中に眠る潜在的可能性を明らかにしてくれます。そして、どうすればそれを花開かせ、鋭い洞察力や精神的なしなやかさといった資質を高めることができるかを教えてくれます。ここで解き明かされる心の法則を理解する人は、多大な恩恵をもたらす結果を生み出す力を持てるようになるでしょう。

マスター・キーは賢い心の運用法を説明し、チャンスの捉え方を教えます。また、意志や推理力を強化し、想像力や直観能力の養い方や上手な使い方を教えます。さらに、感情を豊かにし、願望を賢く活用する方法も教えます。それは独創性や目的を達成する粘り強さを養います。選択の知恵や思慮深い思いやりも養われるでしょう。そして、より高尚な次元で人生を徹底して楽しむ方法を教えてくれるはずです。

マスター・キーはマインド・パワーの使い方を伝授します。まがいもののマインド・パワーや歪んだマインド・パワーではなく、真のマインド・パワーです。それは催眠や魔術とは一切関係ありません。何もないところから何かを生み出すかのように思わせて人々を魅了するペテンとも関係ありません。

マスター・キーは身体を巧みにコントロールして健康を維持するための知恵をつける働きをします。また、記憶を改善し、強化します。そして洞察力を養います。それは並の洞察力ではなく、すべての成功したビジネスマンが特徴的に身につけている並外れた洞察力です。それが身につけば、どんな困難な状況の中にも可能性を見いだせるようになり、身近なチャンスを嗅ぎ分けられるようになるでしょう。多くの人たちはチャンスがほとんど手の届くところにあるのに、見つけられません。それにもかかわらず、実質的な利益が得られないことに勤勉に取り組んでいるのです。

マスター・キーは精神的なパワーを育《はぐく》みます。あなたが力のある人格者だということを他人が本能的に認めてくれるようになるということです。その結果、あなたがしてもらいたいと思っていることを他人がしたがるようになります。つまり人間や物を引き寄せるようになるのです。人がよく「幸運な人」と呼ぶ者になるということでもあります。「物事」が向こうからやってくるのです。あなたは自然の根本的な法則を理解し、それらと調和して生きるようになります。限りないものに同調するのです。そして、社会やビジネスでの成功を司る引き寄せの法則、自然の成長の法則、心理の法則を理解します。

精神的なパワーは創造的な力であり、あなたに自分で創造する能力を与えます。他人から何かを奪い取る能力という意味ではありません。自然は決してそのようなことをしません。自然は一枚の葉っぱが生えていたところに、二枚の葉っぱを生えさせます。マインド・パワーも人間に同じことを可能にします。

マスター・キーは洞察力や明敏さ、並外れた独立心、人の役に立つ能力や性質を育みます。その一方で、不信、憂うつ、恐れ、メランコリー、その他あらゆる形の不足や限界や弱さを破壊します。マスター・キーは埋もれた才能を目覚めさせ、独創性、気迫、エネルギー、活力をもたらします。ひいては、芸術、文学、科学の美を堪能する能力を目覚めさせます。

マスター・キーはあやふやで漠然とした方法を明確な原理――すべての効率的なシステムの基盤となる原理――で置き換えることによって、多くの男女の人生を変えてきました。

アメリカ合衆国鉄鋼組合の議長、エルバート・ゲリーはこう言いました。「ほとんどの大事業にはアドバイザー、インストラクター、有能な経営のエキスパートの働きが欠かせないが、もっとも大切なのは、正しい原理を認識し、適用することである」

マスター・キーは正しい原理を教え、それらの原理を実際に適用する方法を示します。その点で、単なる学習指導とは異なっています。原理の価値はその実用性にあるというのがマスター・キーの教えなのです。多くの人は本を読み、さまざまな学習をし、いろいろな講義を聴きに行きますが、それらのことに含まれる原理の価値を一向に行動で示そうとしません。マスター・キーは教えられた原理の価値を行動で示し、日常生活に生かす方法を提供します。

世界の思想には変化が起こっています。わたしたちの只中で静かに進行しているこの変化は異教思想の没落以来、世界で起こっているもっとも重要なものです。

高等教育を受けた人たちだけではなく、労働者階級の人たちを含めたすべての階級の人々の頭の中で起こっている現在の革命は、歴史に例をみないものです。

科学は近年、膨大な発見をし、無限の資源を明らかにし、途方もない可能性や疑いようのない力を明らかにしてきました。それゆえ科学者は特定の理論を立証済みの確実なものと断言したり、ばかげたありえないものとして否定したりすることをますますためらうようになっています。そうです、新しい文明が生まれつつあるのです。悪しき慣習、熱狂的信仰、残酷さといったものは消え去りつつあります。ビジョン、信頼、奉仕などがそれらに取って代わろうとしています。人類は伝統の足かせから自由になりつつあります。物質万能主義のカスが燃え尽きていくにつれ、思考が解き放たれ、驚く群集の前に、真理がその完全な姿を現しつつあるのです。

全世界が新しい意識の夜明けを迎えようとしています。新しいパワーと自分の中に眠る豊かな能力に対する新たな自覚を伴った意識です。一九世紀は歴史上もっとも素晴らしい物質的な進歩を目撃してきました。二〇世紀は精神やスピリチュアルな世界で最大の進歩を遂げることになるでしょう。

自然科学は物質を分子に、分子を原子に、原子をエネルギーに還元してきました。そして、J・A・フレミング卿（一八四九〜一九四五年。イギリスの電気技術者、物理学者。フレミングの法則を発案した）は英国科学知識普及会の人々を前にした演説の中で、このエネルギーを心に還元しました。「煎じ詰めれば、エネルギーとは、わたしたちが心とか意志と呼んでいるものの直接的な働きの表現とみなすしかないかもしれません」

自然の中のもっとも強力な力は何であるかを見てみましょう。鉱物の世界では、すべてが固く、固定されています。動植物の世界では、すべてが流れの状態にあり、絶えず変化し、創造が繰り返されています。大気中には、熱、光、エネルギーがあります。目に見えるものから目に見えないもの、粗いものから微細なもの、潜勢力が低いものから高いものに移っていくにつれ、だんだん微細になり、スピリチュアルになっていきます。目に見えないものに行き着くと、もっとも純粋で変わりやすいエネルギーになります。

自然のもっとも強力な力は目に見えない力なので、人間のもっとも強力な力は目に見えない力であるスピリチュアルな力であることがわかります。そしてスピリチュアルな力が自らをあらわすことができる唯一の方法は考えるプロセスを通してなのです。考えることはスピリットが持つ唯一の活動であり、思考はそのただ一つの産物です。

したがって足し算や引き算はスピリチュアルな取引なのです。推論はスピリチュアルなプロセスであり、アイディアはスピリチュアルな概念です。疑問はスピリチュアルなサーチライトであり、論理や議論や哲学はスピリチュアルな機械なのです。

あらゆる思考は特定の身体の組織、脳や神経や筋肉の一部を活動させます。それが組織の構造に実際の物理的変化を生み出します。ですから、心の中で願望するだけで身体に変化を引き起こすことができるのです。

それは失敗を成功に変えるプロセスとなります。失敗、絶望、不足、限界、不調和といった思考を勇気、パワー、インスピレーション、調和といった思考で取って代わらせればいいのです。これらの思考が根を張ると、身体の組織が変化し、彼は人生を新たな光の下で見るようになります。古いものは実際に消えてなくなります。すべてのものが新しくなり、本人は生まれ変わります。あらたにスピリットとして生まれ変わるのです。彼にとって人生は新たな意味を持つようになります。彼は再構築され、喜び、自信、希望、エネルギーに満たされます。これまで見えていなかった成功のチャンスが見えるようになります。以前は意味をなさなかった可能性にも気づきます。彼の中に染み込んだ成功の思考は周囲の人たちにも広がります。すると周囲の人たちは、彼が前進し、上昇していくのを助けてくれます。彼は自分の周りに成功した新しい仲間を引き寄せます。それが彼の環境を変えていきます。このように単に考え方を変えるだけで、人間は自分自身を変えるばかりか、環境や境遇も変えることができるのです。

わたしたちが新たな夜明けに立ち会っているのだということを理解しなければなりません。めくるめく無限の可能性が目の前に開かれようとしていることに気づく必要があるのです。一世紀前、ガトリング銃（一分間に何千発も撃てる銃）を持っていた人間は誰でも、当時使われていた戦闘用の武器しか持っていない軍隊を全滅させることができたでしょう。だから、ガトリング銃が現在も残っているのです。マスター・キーに含まれる知恵を身につけた人間は誰でも、他の人たちより信じられないほど優位に立てるのです。

第1週

すべてのパワーは内側からやってくる

ここにマスター・キー・システムの一週目のレッスンをお届けできるのは、わたしにとってとても光栄なことです。あなたはご自分の人生をもっとパワフルなものにしたいと思っているでしょうか？　それならば、自分はパワーを持っているという意識を持たなければなりません。もっと健康になりたい、そう願うなら、自分は健康であるという意識を身につけてください。もっと幸福になりたい、そう望むなら、自分は幸福だという意識を持つ必要があります。パワーや健康や幸福がすでに自分のものになったかのように生きていれば、自然にそうした意識が身につくはずです。そうなったら、それらの意識を遠ざけておくことができなくなるでしょう。この世の物事は人間の内部にある力によっていかようにでもなるのです。

あなたはその力を獲得する必要はありません。すでに持っているからです。でも、あなたはそれを理解し、自由自在に操りたいでしょう。力を思い通りにできれば、先頭に立ちこの世界を導くことができるからです。

日ごと前進し、勢いを増していくにつれ、あなたの直観は高まり、計画が実を結び、認識が深まっていきます。そうすればこの世界が死んだ石と木材の山ではなく、生き物であることがわかってくるでしょう！　世界は命と美を備え、人間の心臓のように脈打っているのです。

ただし、以上に述べたことを実践するには、まず理解する必要があります。理解できるようになった人は新しい光に鼓舞され、新しい力を授かります。日々、自信を深めてパワーを獲得し、希望を実現するようになるのです。夢は現実のものとなり、人生がより深い明確な意味を持って、満足をもたらすようになります。

多くを持つものがさらに多くを持つようになるというのはどこを見ても真実です。損失がより大きな損失を生み出すというのもまた真実です。

2

心は創造的です。人生の状況や環境、経験などはすべて習慣的な心の持ち方や傾向が生み出す結果なのです。

3

心の姿勢がわたしたちの思考に左右されるのは必然です。ですから、人生でどれだけの力を持ち、どれだけのことを達成できるか、そしてどれだけのものを所有できるかは、どのように考えるかにすべてかかっているのです。

4

先に述べたことが真実なのは次のような理由からです。わたしたちは「する（do）」前に「存在（be）」しなければなりません。どの程度「存在する」かに応じて「する」ことは制限されます。そして「存在する」ことは「考える」ことに左右されます。

5

わたしたちは持っていないパワーを表現することはできません。パワーを手に入れるただ一つの方法はパワーを意識するようになることです。一切のパワーが内部にあると学ぶまで、パワーを意識できるようにはなりません。

6

内面世界というものがあります。思考と感情とパワーの世界です。光と命と美の世界でもあります。目に見えませんが、その力たるや莫大なものです。

7

内面世界は心によって治められています。内面世界に降りていけば、あらゆる問題の解決策、あらゆる結果の原因が見つけられます。内面世界はわたしたちによって制御《せいぎょ》されているので、パワーや富にまつわるすべての法則もわたしたちが制御できます。

8

外の世界は内面世界の反映です。外側にあるように見えるものは、内から見いだされたものなのです。内面世界には、無限の叡知《えいち》とパワーが潜んでいます。そこでは、成長して花開くのを待っている、必要なもののすべてが無尽蔵《むじんぞう》に供給されるのです。内面世界にそうした可能性が潜んでいることを認識すれば、それらは外の世界に形を持ってあらわれます。

9

内面世界の調和は円満な状態、快適な環境、豊かな生活となって外の世界に反映されます。それは健康に生きるための土台であり、人生を力強く生きるため、また偉大なことを成し遂げ、成功するために必要欠くべからざるものなのです。

10

内面世界の調和とは、自分の思考をコントロールし、経験がどう自分に影響するかを自分で決められる能力を指します。

11

内面世界の調和は楽観主義と富をもたらします。内面の豊かさは外の世界の富となってあらわれるのです。

12

内面世界は内的な意識の環境や状態を映し出します。

13

内面世界に知恵を見いだせば、驚くべき可能性を見つける理解力を持てるようになり、さらにそれらの可能性を外の世界に出現させる力を授かるでしょう。

14

内面世界の知恵を自覚するようになると、その知恵を精神的に所有するようになり、完璧にバランスの取れた成長を遂げるために必要な要素を顕在化《けんざいか》させるのに欠かせないパワーと知恵を実際に持てるようになります。

15

内面世界は、世の中の力を持った男女が勇気、希望、情熱、自信、信頼と信用などを生み出す実用的な世界です。それらの性質によって彼らはビジョンを見るすぐれた知性と、ビジョンを実現する実用的な技術を与えられます。

16

人生は積み重なっていくものではなく、展開していくものです。外の世界で手に入れるものは、内面世界ですでに持っているものなのです。

17

すべての富は意識に基づいています。すべての利益は蓄積《ちくせき》した意識の所産であり、すべての損失は散乱した意識の所産です。

18

心の効率の良い働きは調和から生まれます。不調和は混乱を意味します。ですから、パワーを獲得したい人は自然の法則と調和していなければなりません。

19

わたしたちは客観的な心を通して外界と関わります。その心の器官が脳であり、脳脊髄神経系《のうせきずいしんけいけい》が身体のあらゆる部分との意識的なコミュニケーションを可能にします。この神経系は光、熱、匂い、味といったすべての感覚に反応します。

20

この心が正しく考えて真理を理解し、脳脊髄神経系を通して身体に送られる思考が建設的なものなら、それらの感覚は楽しく心地よいものに感じられます。

21

その結果、わたしたちは力強さや活力を身につけ、身体には建設的な力が宿ります。ところが、苦痛、病、欠乏、限界、あらゆる形の不調和がわたしたちの人生に招き入れられるのも、同じ客観的な心を通してなのです。ですから、邪悪な考えを抱くと、わたしたちは破壊的になるのです。

22

わたしたちは潜在意識を通して内面世界と関わります。その心の器官は太陽神経叢《そう》です。交感神経系が喜び、恐れ、愛、情動、呼吸、想像、その他すべての無意識の現象を司っています。わたしたちが宇宙精神に結びつけられ、宇宙の無限の建設的な力とつながるのは、潜在意識を通してなのです。

23

人生の最大の秘密は、これらの二つの生命の中心がどのように協調して働いているかを深く理解することなのです。それがわかれば、客観的な心と主観的な心とを意識的に協調させ、有限なるものと無限なるものとを和解させることができます。未来が完全にわたしたちの欲しいままになるのです。気まぐれな、あるいは不確かな外部の力のなすがままにはなりません。

24

たった一つの原理ないし意識が宇宙全体に行き渡っており、すべての空間を満たしているということに異を唱える者はおりません。宇宙のどこを取っても、どんな些細な空間でさえ、その原理が働いていないところはないのです。それは全知全能であまねく行き渡り、あらゆる思考や物質を内包します。それは万物の源なのです。

25

思考する「意識」は宇宙にたった一つしかなく、その意識が考える時、その思考は客観的なものになります。この意識はあまねく行き渡っているので、それぞれの個人の中にも当然存在しています。めいめいの個人は宇宙に偏在《へんざい》するこの全知全能の意識の顕現《けんげん》なのです。

26

宇宙には「意識」はたった一つしかないので、必然的にあなたの意識は宇宙意識と同一だということです。言い換えれば、すべての心は一つなのです。この結論から逃れるすべはありません。

27

あなたの脳細胞の中で焦点を結ぶ意識は他人の脳細胞の中で焦点を結ぶ意識と同じものです。めいめいの人間は宇宙精神が個別に顕現した姿にほかなりません。

28

宇宙精神は静的な、もしくは潜在的なエネルギーです。それはただ在るだけです。個々人を通してのみ自らをあらわすことができます。一方、個々人は宇宙精神を通してのみ、この世に存在できるようになります。それらは一つなのです。

29

個人の考える能力は、宇宙精神に働きかけそれを顕在化させる能力です。人間の意識は考える能力だけからなっています。心そのものは微細な静的エネルギーだと信じられています。そのエネルギーから心の動的な側面である「思考」と呼ばれる活動が生まれるのです。静的なエネルギーである心と動的なエネルギーである思考、二つは同じコインの裏表なのです。したがって思考とは、静的な心を動的な心に変換することによって形成される振動なのです。

30

宇宙の隅々に行き渡る全知全能の宇宙精神の中には、あらゆる性質が含まれています。それゆえ、それらの性質はすべての個人の中に、潜在的な形でずっと存在していなければなりません。よって個人が考える時、思考はその性質上、客観的な世界に具体的な形を取って現れざるをえないのです。

31

つまり、あらゆる思考は原因であり、あらゆる状態は結果なのです。望ましい状態を引き寄せたければ、自分の思考をコントロールしなければなりません。

32

すべてのパワーは内側からやってくるので、完全にあなたの制御下《せいぎょか》にあります。それは正確な知識による、正確な原理の意識的な運用によってもたらされます。

33

この法則をすみずみまで理解し、自分の思考プロセスをコントロールできれば、どんな状況にも適用できるのは明白です。言い換えれば、万物の基礎である全知全能の法則と意識的に同調できるようになるということです。

34
宇宙精神は現存するすべての原子の生命原理です。すべての原子は絶えずより多くの生命を生み出そうと努力しています。すべての原子が知性を持ち、自らが作られた目的を実現する道を探っているのです。

35
ほとんどの人間は外の世界に住んでおり、内面世界を発見した人間は限られています。でも、外の世界を作っているのは内面世界なのです。

36
内的な世界と外的な世界とのこうした関係を理解すれば、このシステムによってあなたは自分のパワーを自覚できるでしょう。内的世界は原因であり、外的世界は結果です。結果を変えたければ、原因を変えなければなりません。

37
わたしが言っていることがまったく新しい考えだということにあなたはすぐに気づくでしょう。ほとんどの人は結果をいじくり回すことで結果を変えようとします。それが苦悩の形態を変えるだけだと気づけないのです。不調和を取り除くには、原因を取り除かなければなりません。その原因は内面世界でのみ見いだすことができるのです。

38

すべての成長は内側から起こります。自然のどこを見ても、それは明らかです。すべての植物、すべての動物、すべての人間がこの偉大な法則の生き証人です。長年続いてきた過ちは、外側の世界に力やパワーを探し求めてきたことにあります。

39

内的な世界は万物を生み出す宇宙の泉であり、外の世界はその噴き出し口です。どれだけのものを得られるかはこの宇宙の泉をどれだけ認識できるかにかかっています。すべての個人はその無限のエネルギーのはけ口であり、それゆえ、他のすべての個人と一つなのです。

40

認識は心のプロセスです。したがって、心の活動は個人と宇宙精神とのやり取りなのです。宇宙精神はあらゆる空間に浸透《しんとう》し、すべての生き物を生かしている知性ですから、この心の相互作用が因果の法則となってあらわれます。けれども、因果律は個人ではなく宇宙精神の中に成立します。それは客観的な能力ではなく主観的なプロセスであり、その結果は無限にバリエーションに富んだ状況や経験の中に見られます。

41

生命を表現するためには、心がなければなりません。何事も心なくしては存在できません。存在するすべてのものはこの一つの根本物質の顕《あらわ》れであり、万物はそれによって絶え間なく再生されているのです。

42 わたしたちは心という可塑的《かそてき》な物質からなる底なしの海に住んでいます。この根本物質は永遠に生き、活動を続けています。それはこの上なく敏感で、精神的な要求に従って形を変えます。思考が鋳型《いがた》となり、それによって根本物質が自らを表現するのです。

43 この法則の実用的な価値を理解すれば、貧困が豊かさに、無知が知恵に、不調和が調和に、専制が自由に取って代わられるでしょう。物質的な観点や社会的な観点からして、これらに勝る祝福はありえません。

44 それでは実際にやってみましょう。誰にも邪魔されず一人になれる部屋を探し、背筋を伸ばしてゆったりと座ってください。何かに寄りかかってはいけません。そうしたら、思考がさ迷うままにまかせます。一五分から三〇分もすれば、心は完全に鎮まるでしょう。心身を完全にコントロールできるようになるまでこのエクササイズを三、四日ないし一週間続けます。

45 多くの人がきわめて難しいと感じる一方、やすやすとできるようになる人もいるかもしれません。ただ、前に進む準備ができるまでに、心身を完璧にコントロールできるようになっていることが絶対に必要です。来週、次のステップの指示を受け取ることになるでしょう。それまでに今週の課題に熟達するようにしてください。

第2週

潜在意識の驚くべきパワー

わたしたちが抱えている困難はその大部分が混乱した考えと無知に起因します。本当に大切なことが何かを、わたしたちは知らないのです。最大の課題は、わたしたちが従うべき自然の法則を発見することです。その場合、明晰な思考と道徳的な洞察が計り知れない価値を持ちます。すべてのプロセスは、思考のプロセスでさえ堅固な基盤に立脚しているのです。

感覚が鋭ければ鋭いほど、判断が鋭敏であればあるほど、味覚がデリケートであればあるほど、倫理観が洗練されていればいるほど、知性が繊細であればあるほど、志が高ければ高いほど、人生がもたらす満足は純粋で強烈なものになります。だから物事を極めると、大きな喜びがあるのです。

業績を上げたり、物質的な進歩を遂げることも大切ですが、それよりもっと素晴らしいのは心のパワーや可能性を見つめ、その力の賢明な使い方を身につけることなのです。

思考はエネルギーです。積極的な思考をすれば、行動のエネルギーが高まりますし、思考を集中させれば、集中力が高まります。明確な目標に焦点を当てた思考はパワーになるのです。力を存分に活用すれば、貧困の徳や自己否定の美といったものが、意志の弱い者のたわごとだということがわかります。

このパワーをどれだけ自由にできるかは、自分の中に潜む無限のエネルギーにどれだけ触れられるかにかかっています。というのも、わたしたちはそのエネルギーの多様な顕れにすぎないからです。この真理をどの程度認識するかによって、個人の人生におけるその顕れ方が違ってくるのです。

では、どうすればそのエネルギーを認識できるのでしょう？　それが今週のテーマです。

心の働きは一つが意識的、もう一つが無意識的な二つの平行した活動様式によって生み出されます。ディヴィッドソン教授は「自分自身の意識の光によって心の全領域を照らそうとする者は蠟燭の灯りで宇宙を照らそうとしている人に似ている」と言っています。

2

無意識の論理的思考は、間違いようのない確実さと規則性を持って行われます。わたしたちの心はきわめて重要な認識の基盤を備えるようデザインされています。けれども、わたしたちはその運用法を少しも理解していません。

3

潜在的な心は親切な旅人のようなもので、わたしたちの利益のために働き、熟した果実だけをもたらします。こうして、思考のプロセスを徹底的に分析していくと、潜在意識がもっとも重要な心の現象の舞台であることがわかります。

4

シェークスピアが意識的な心では捉えられない偉大な真理を努力もせずに認識したのは、潜在意識を通してなのです。フィディアス（紀元前五世紀に活躍したアテネの彫刻家）が大理石の像や銅像を彫ったのも、ラファエロが聖母マリアを描き、ベートーベンが交響曲を作曲したのもそうです。

5

物事をやすやすと完璧にやり遂げられるかどうかは、どの程度潜在意識に任せられるかにかかっています。ピアノの演奏、スケート、タイプの打ち込み、巧みな取引――すべて完璧にこなすには潜在意識の助けを借りなければなりません。活発な会話を交わしながら、ピアノで素晴らしい曲を演奏するといった離《はな》れ業《わざ》をやってのけられるのは、潜在意識の偉大なパワーのおかげなのです。

6

わたしたちがいかに潜在意識に頼っているかは誰でも気づいています。わたしたちの思考がより偉大に、より高貴に、より華麗になればなるほど、その源がわたしたちの理解を超えたところにあることは明らかです。わたしたちは絵画や音楽の美を見極められる本能やセンスを授かっていますが、その源がどこにあるのかはまったくわかっていません。

7

潜在意識の価値は莫大なもので、わたしたちを奮い立たせ、わたしたちに警告してくれます。記憶の貯蔵庫から名前や事実やシーンを引き出し、わたしたちの思考や好みを誘導し、たとえどんなに有能でも意識的にはできない複雑な仕事をやり遂げます。

8

わたしたちは自由自在に歩くことができます。腕を上げたければ、いつでもそうできるし、目や耳を通してどんなものにも意のままに注意を向けられます。一方、心拍、血液の循環、身長の伸び、神経や筋肉組織の形成、骨格の構築、その他多くの重要な生命のプロセスは、自分の意志でコントロールすることができません。

9

これら二組の活動を比較すると、前者はその瞬間の意志によって決定されます。後者は決してぶれることがなく常に一定した厳格なリズムを持って進行していきます。わたしたちは後者の活動に畏怖《いふ》の念を覚え、その神秘を解き明かそうとします。これらが身体を維持するのに欠かせない大切なプロセスであることはすぐにわかります。これらのきわめて重要な機能は移ろいやすい豊富なバリエーションを持つ外部の意志の領域から撤退させられ、わたしたちの内部にある信頼できる永遠のパワーの指揮下に置かれていると推測せざるをえません。

10

これら二つのパワーのうち、外に向かう変わりやすいパワーは「意識的な心」とか「客観的な心」(外部の物質を扱う心)と名づけられてきました。内部のパワーは「潜在意識」とか「主観的な心」と呼ばれます。それは精神的な次元での働きに加えて、生命の維持を可能にする規則的な機能をコントロールしています。

11 心の次元でのそれぞれの働きだけではなく、両者がどのように協調して働くかについても明確に理解する必要があります。意識的な心は五感を通して感じることで、外の世界の印象や対象を扱います。

12 それは識別能力を持っており、選択の責任を負っています。また、推論する力――帰納的、演繹的、分析的、三段論法的――も持っています。推論する力は高度に発達する可能性があります。意識的な心は意志の中枢であり、豊かなエネルギーを擁しています。

13 意識的な心は他人の心を感動させるだけではなく、潜在意識に指令を送ることもできます。そうして潜在意識の責任ある支配者兼守護者になります。あなたの人生の状況を逆転できるのは、意識の高度な働きのおかげなのです。

14 潜在意識は無防備で暗示にかかりやすい性格を持っています。そのため偽りの暗示を受け入れて、わたしたちを恐れや貧困、病、不調和などにおとしいれたり、いろいろな悪業に導いたりすることがよくあります。成熟した意識的な心は、用心深い保護活動によってこうしたことを全面的に阻止できます。ですから、それを偉大なる潜在意識の「門番」と呼ぶのが適切かもしれません。

15

ある作家は心の二つの側面の主な違いをこう表現しています。「意識的な心は推論する意志である。他方、潜在意識は本能的な欲求であり、過去の推論する意志の結果である」

16

潜在意識は外部の情報源によってもたらされた情報から、正確な推論を引き出します。その情報が正しければ潜在意識は申し分のない結論に至りますが、もしその情報ないし暗示が間違っていれば誤った結論に至り、不測の事態を招きます。潜在意識自体は判断のプロセスには関与しません。誤った印象から身を守るために、それは「門番」である意識的な心に頼ります。

17

潜在意識はどんな暗示であれ真実と受け止めると、膨大な活動領域のすべてでその暗示に基づき行動します。意識的な心は真実の暗示をすることもあれば、間違った暗示をすることもあります。後者の場合、生命を危険にさらすこともありえます。

18

意識的な心は覚醒している間はずっと働くことになっています。さまざまな状況下で「門番」が「油断」

したり、冷静な判断を停止したりすると、潜在意識は無防備となり、あらゆる情報源からの暗示にさらされます。もっとも危険なのは、パニックになり極度に興奮したり極端な怒りにかられたり、あるいは無責任な衝動にかられて抑え切れないほど情熱が高まったりした時です。そんな時、潜在意識は周囲の人間や状況から発信される、恐怖、憎しみ、わがまま、強欲、自己卑下、その他の否定的な力を匂わせる暗示にさらされます。その結果、健康を害するのが普通です。苦しみは長期間続くことがありますから、潜在意識を誤った印象から守ることがとても大切です。

19

潜在意識は直観で認識します。したがって、そのプロセスは急なものです。意識的な推論という緩慢な方法を待てず、事実、そのような方法は使えないのです。

20

潜在意識は心臓や血液と同じように、眠ることも休息することもありません。潜在意識に向かって特定のことをするよう語りかけるだけで、望んだ結果に導く力が稼動することがわかっています。そこにはわたしたちの願いをなんなりと叶えてくれるパワーの源があります。熱心に研究する価値のある奥深い原理が潜んでいるのです。

21

この法則の働きは興味深いものです。潜在意識を信じると、人と意見が多少食い違うようなことがあっても、なんなく問題を乗り越えられます。なにもかも変わり、すべてが円満になるのです。ややこしいビジネス上の問題が生じても、潜在意識を信頼する人は、あわてずにそれが解決されるのを待てるのです。適切な解決策が見つかり、すべてが落ち着くところに落ち着くことがわかっているからです。潜在意識を信頼することを学んだ人は、無限の能力を欲しいままにできるのです。

22

潜在意識はわたしたちの生命を維持する働きをするだけではなく、願望実現の源でもあります。それは芸術的な理想や愛他主義的な理想の源なのです。この本能の力なくして、わたしたちはまともな人生を送ることができません。

23

潜在意識は反論することができません。それゆえ、暗示を受けることがあります。間違った暗示を取り除くには、正反対の強力な暗示を繰り返し、古い暗示に取って代わらせるのが一番確実です。そうすれば、新しい健全な思考や人生の習慣が形成されます。というのも、潜在意識は習慣の拠点だからです。わたしたちが何度も繰り返すものが習慣になるのです。その習慣が健全で正しければ、わたしたちにとって好ましいのですが、有害な習慣にとらわれている場合には、潜在意識の全能性を認め、「わたしはそうした習慣から自由である」と暗示をかけてみてください。創造的で聖なる源と一つである潜在意識は即座にあなたの心を悪習への執着から解き放つでしょう。

24

これまで述べてきたことをまとめてみましょう。身体に対する潜在意識の通常の働きは、規則的な生命活動を支え、生命の維持と健康の回復に貢献《こうけん》することです。さらに子孫の維持や状況の改善ということにも関わっています。

25

精神面では、潜在意識は記憶の貯蔵庫で、時間や空間に束縛されずに働く素晴らしい思考のメッセンジャーを住まわせています。それは人生の実用性に富んだ独創的かつ建設的な力の源泉です。そして習慣の拠点でもあります。

26

霊的な面では、理想や志、想像力の源であり、わたしたちが神と一つであることを認識するチャンネルとなります。そうした神性を認識すればするほど、わたしたちはパワーの源を理解できるようになるのです。

27

こう尋ねる人がいるかもしれません。「潜在意識はどうして状況を変えることができるのですか？」答えは、「宇宙精神の一部だから」です。部分は質的に全体と同じでなければなりません。唯一の違いは程度の違いです。ご存知のように、宇宙精神は創造的です。実際、それは存在する唯一の創造者です。したがって、心も創造的です。そして、心の唯一の活動は思考することなので、思考も必然的に創造的でなければなりません。

28

しかし、ただ単に考えることと、意識的、体系的、建設的に思考することとの間には、大きな違いがあります。意識的に思考する時、わたしたちは心を宇宙意識に調和させ、無限と同調します。そして、存在する最高の力である宇宙意識の創造的パワーを稼動させます。これは他のすべてのものと同様、自然の法則によって支配されています。その法則が「引き寄せの法則」です。宇宙精神は創造的で、自動的にその対象と相互作用し、それを顕在化させるという法則です。

29

先週は心身をコントロールするためのエクササイズを紹介しました。それをマスターしたら、次に進みましょう。今回は思考のコントロールに着手します。できれば常に同じ部屋、同じ椅子、同じ場所を使うようにしてください。どうしても同じ部屋を使えない場合は、自分にとってもっとも快適な環境を作り出してください。では、先週紹介したやり方で心を完全に鎮めてください。一切の思考を締め出してください。そうすれば、心配や不安や恐れを生み出す思考をコントロールし、自分の望む思考だけを心に抱けるようになります。完璧にできるようになるまでこのエクササイズを続けてください。

30

このエクササイズは一度にごく短い時間しかできないかもしれませんが、やる価値はあります。なぜならそれはどんな思考があなたの心の世界に絶え間なくアクセスしようとしているかを実際にわからせてくれるからです。

31

来週はもっと興味深いエクササイズを紹介する予定です。でもその前に今週のエクササイズをマスターしておいてください。

原因と結果の法則は目に見える物質の世界と同様、隠された思考の領域においても、絶対的なものであり、外れることはありません。心は人格という内側の衣装と、環境という外側の衣装、両方の衣装を織る熟達した織り手です。

――ジェームズ・アレン

第3週

身体《からだ》の太陽

個人は宇宙意識に働きかけることができます。その相互作用が原因と結果を生み出します。したがって、思考は原因であり、あなたが人生で遭遇する体験が結果だと言えます。

ですから自らの不遇に不平をもらすのはやめましょう。なぜなら、そうした境遇を変えて、自分の望み通りにできるかどうかはあなた次第だからです。

真の持続するパワーを生み出す心の財産が、いつでもあなたの自由になることを自覚する努力をしてください。

自分のパワーを信じ、あくまでやり遂げる気でさえいれば、人生において正しい目的を達成するのに、失敗などありえません。なぜなら、マインド・パワーは目的を持った意志に手を貸し、願望を結実させる準備を常にしているからです。それが自覚できるまで、鍛錬《たんれん》を続けてください。

はじめのうち、行動は意識的になされますが、習慣になると、行動は自動的になり、潜在意識によってコントロールされます。でもそれは以前と同じように理にかなっています。意識が他のことに注意を向けられるようになるには、行動が自動的か無意識になる必要があります。しかし、新しい行動もまた習慣になり、無意識に行われるようになります。そうすれば、心はその行動を細かくチェックする必要性から解放され、他の活動に従事できるようになります。

このことを悟れば、人生のいかなる状況にも対処できる力の源が見いだせます。

意識と潜在意識とが相互に作用すると、それらに対応する神経系の間にも同様な相互作用が起こります。

トロワード判事（一八四七年〜一九一六年。自己を改善する道を研究したインドの判事）は、こうした相互作用の過程を見事に描いています。「脳脊髄系は意識的な心の器官であり、交感神経系は潜在意識の器官です。脳脊髄系は、わたしたちが五感を通して知覚し、身体の動きを制御する回路なのです。この神経系は脳にその中枢を持っています」

2

交感神経系は太陽神経叢として知られる胃の背後の神経節にその中枢を持ち、身体の生命機能を無意識のうちに維持する精神活動の回路になっています。

3

二つの神経系は迷走神経によってつながれています。迷走神経は自律神経系の一部として大脳から出て胸《きょう》郭《かく》に至り、心臓や肺に枝を伸ばし、最終的に横隔膜《おうかくまく》を通過します。そこで被覆《ひふく》を失って交感神経系と一体となり、二つの神経系を橋渡しし、人間を身体的に単一の存在にします。

4

わたしたちはあらゆる思考が意識の器官である脳によって受けとめられ、判定を下されることを見てきました。客観的な心がその思考を正しいと認識すると、それは主観的な心の脳である太陽神経叢に送られ、血肉化されて現実の世界にもたらされます。潜在意識は反論できず、行動するだけで、客観的な心の結論を最終的なものとして受け入れるのです。

5

太陽神経叢は身体の太陽にたとえられてきました。というのも、身体が絶えず生み出しているエネルギーの配給センターだからです。このエネルギーや太陽はきわめて現実的なものです。エネルギーはきわめて現実的な神経によって身体の隅々に分配され、身体を取り巻く大気中に放射されます。

6

この放射が十分に強いと、その人は魅力的だ、人間的な魅力に満ちていると言われます。そのような人物は物事に良い影響を及ぼす強烈な力を持っているかもしれません。そばにいるだけで不安な心に安らぎをもたらすこともしばしばあります。

7

太陽神経叢が活動し、身体のあらゆる部分や出会うすべての人たちに生命力、エネルギー、活力を放射していると、気分が晴ればれとし、健康になります。さらにその人物と接するすべての人が楽しい気持ちになります。

8

この放射エネルギーがなんらかの理由で妨害されると、不愉快な感覚が生じ、身体の一部への生命やエネルギーの流れが止まります。それが心身のあらゆる病の原因となり、周囲の世界にも悪影響を及ぼすのです。

9

身体的に病むのは、身体の太陽が全身に行き渡るだけの十分なエネルギーを生み出さなくなるからです。精神的に病むのは、意識的な心が思考を維持するのに必要な活力を潜在意識から得られなくなるからです。周囲の世界に悪しき影響を及ぼすのは、潜在意識と宇宙精神とのつながりが妨害されるからです。

10

太陽神経叢は個人が宇宙精神と出会う地点であり、そこで宇宙精神は個人化され、目に見える形を取るようになります。つまり太陽神経叢は命が出現する地点なのです。そこで生み出される命の量には限りがありません。

11

このエネルギーの中心は全能です。なぜなら、すべての生命と知性との接点だからです。そのため、命じられたことは何でもできます。そこでは意識的な心の力が重要な役割を果たします。潜在意識は意識的な心によって提案された計画やアイディアを実行に移せますし、実行します。

12

全身に生命力とエネルギーを送り込む身体の太陽の主人は意識的な思考です。わたしたちが抱く思考の特徴や性質が、その太陽が放射する思考の特徴や性質を決めます。

13

したがって、わたしたちがすべきことは、自分の光を輝かせることなのです。より多くのエネルギーを放射できるようになればなるほど、好ましくない状態を喜びと利益の源に素早く変えることができるようになります。重要なのは、この光をどうやって輝かせるかということです。このエネルギーをどうやって生み出すかということです。

14

とげのない考えは太陽神経叢を広げ、とげとげしい考えは太陽神経叢を狭めます。快い考えはそれを広げ、不快な考えはそれを狭めます。勇気、パワー、自信、希望につながる思考はすべてそれに見合った状態を生み出します。もっとも有害なのは恐れです。光を輝かせたかったら最初から恐れないことです。恐れは全滅させるか、永久追放しなければなりません。永遠の闇を生み出す、太陽を隠す暗雲だからです。

15

恐れという悪魔に取りつかれると、人は過去、現在、未来を恐れるだけではなく、自分自身や友人、そしてその敵も、何もかも恐れるようになります。恐れを完璧に破壊すれば、暗雲は消え去り、あなたの光は輝き出すでしょう。そして、パワーとエネルギーと命の源を見いだすでしょう。

16

自分が無限のパワーと本当に一つだということに気づき、思考の力によってどんな逆境でも乗り越える能力を持っていることを実際に示すことができれば、何も恐れるものはなくなるでしょう。恐れは破壊され、あなたの生きる権利を妨害するものはなくなります。

17

わたしたちがどんな経験をするかを決めるのは、人生に対するわたしたちの心構えです。何も期待しなければ、何も得られません。多くを要求すれば、多くを受け取ります。自分を主張できなければ、世間はつらいところになります。自分の考えを押し通せなければ、世間の批判はきびしいものになります。そうした批判が怖いから、多くの考えが日の目を見られずにいるのです。

18

けれども、自分が身体に太陽を持っていることを知っている人間は、批判など恐れません。勇気や自信、パワーを放射することに忙しいからです。そういう人は心の持ち方によって成功することを期待します。目の前の障害を粉々に打ち砕き、恐れが生み出す疑いやためらいの溝を飛び越えるのです。

19

意識的な心の持ち方によって健康、力強さ、調和などを手に入れられることがわかれば、何も恐れるものがなくなります。なぜなら、その時わたしたちは無限の力に触れているからです。

20 この知識は現実に適用することによってのみ本物になります。わたしたちは実際に行動することによって学ぶのです。運動選手が練習することによって力をつけるように。

21 次に述べることはとても重要なので、何通りかの方法で述べてみたいと思います。もしあなたが宗教的な人間なら、「あなたは自分の光を輝かせることができる」と言えます。もし自然科学に傾倒しているなら、「あなたは太陽神経叢を目覚めさせることができる」と言えます。もし厳密な科学的解釈を好むなら、「あなたは潜在意識に印象を刻みつけることができる」と言えます。

22 その結果がどうなるかはすでに述べました。あなたが現在興味を持っているのはその方法です。潜在意識が知性を持ち、創造的で意志に敏感に反応することはすでに学びました。では、願望を潜在意識に刻みつけるもっとも自然な方法は何でしょう? 心の中で願望の対象を念じることです。そうすれば、願望は潜在意識に染みこんでいきます。

23 これは唯一の方法ではありません。しかし、簡単で効果的な方法であり、もっとも直接的です。したがって最良の結果が得られる方法なのです。それは、驚くべき結果を生み出し、奇跡が起こったと多くの人が考える方法なのです。

24

それはすべての偉大な発明家、資本家、政治家が、願望や信念といった目に見えない霊妙な力を、客観的な世界の中で実際に手に触れられる目に見える事実に変換するのを可能にしてきた方法です。

25

潜在意識は宇宙精神の一部です。宇宙精神は宇宙の創造原理です。部分は全体と種類も質も同じでなければなりません。ということは、この創造的パワーが無条件に無限であることを意味します。それはどんな先例にも縛られません。したがって、その建設的な原理を適用するための既存のパターンを持たないのです。

26

わたしたちは潜在意識が意志に反応することを学びました。ということは、宇宙精神の無限の創造的パワーが個人の意識的な心の制御下にあることを意味します。

27

これから述べるレッスンの中で与えられるエクササイズに合わせて、この原理を現実に適用する時、潜在意識があなたの望む結果を生み出す方法をいちいち説明する必要がないことを覚えておいてください。有限な言葉で無限を表現し尽くすことはできません。あなたはただ自分の欲するものを念じればいいのです。

28

あなたは未分化なものが分化される回路です。適切な原因をあてはめれば分化されるのです。必要なのは、あなたの願望に見合った結果を生み出す原因を仕込んだという認識だけです。それが達成されるのは、宇宙精神が個人を通してしか活動できず、個人が宇宙精神を通してしか活動できないからです。個人と宇宙精神は一つなのです。

29

今週のエクササイズで、あなたはさらに一歩前進することになります。心を完璧に鎮め、できるだけ思考を禁じるだけではなく、リラックスして筋肉の緊張を解き放ってください。筋肉を正常な状態に戻すのです。これは神経からすべてのプレッシャーを取り除き、身体を消耗《しょうもう》させる緊張を取り除きます。

30

身体的なリラクゼーションは自発的な意志の運動です。この運動は脳や身体への血液循環を良くするという意味で大きな価値を持っています。

31

緊張は精神的な不安や異常な精神活動に導きます。それは心配、気苦労、恐れ、不安などを生み出します。

心の機能をフルに発揮させるためには、心身をリラックスさせることが絶対に必要なのです。

32

このエクササイズを徹底して行い、すべての筋肉と神経をリラックスさせると心の中で強く決意してください。心が鎮まりゆったりとくつろいだ気分になり、自分自身や世界と調和していると感じるようになるまでやってもらいたいのです。

33

そうすれば太陽神経叢が働く準備が整い、あなたはその結果に驚かされるでしょう。

第4週

パワーの秘密

ここに四週目のレッスンをお届けします。この章では、あなたが考えるもの、するもの、感じるものが、あなたが何者であるかを示していることを明らかにしていきます。

思考はエネルギーであり、エネルギーはパワーです。世界が限られた成果しか上げられないのは、これまで世界が親しんできた宗教、科学、哲学がエネルギーそのものではなく、エネルギーの顕れに注目してきたからです。そうやって原因を無視してきたのです。

それゆえ、宗教には神と悪魔がおり、科学には肯定と否定があり、哲学には善と悪があるのです。

マスター・キーはこのプロセスを逆転させます。もっぱら原因に関心を寄せるのです。履修生《りしゆうせい》からの手紙に驚くべき話が書かれていました。彼らが自分自身で健康、調和、富、その他自分の繁栄や幸福のために必要なものを手に入れられる方法がわかってきたというのです。

人生は表現の舞台です。自分自身を円満かつ建設的に表現するのはわたしたちの務めです。悲しみ、悲惨、不幸、病、貧困などは必要ありません。わたしたちは絶えずそれらを取り除こうとしています。

でも、それらを排除するには、あらゆる種類の限界を乗り越えなければなりません。自分の思考を強化し清めた人は、無駄な心配をする必要がありません。富の法則を理解した人はすぐに供給源に行き着きます。

こうして船長が船を、機関手が汽車をコントロールするのと同様に、宿命、財産、運命といったものがやすやすとコントロールされるのです。

あなたの「わたし」は身体ではありません。身体は「わたし」がおのれの目的を達成するために用いる道具にすぎません。「わたし」は心でもありえません。心は「わたし」が考え、推理し、計画を練るために用いるもう一つの道具にすぎません。

2

「わたし」は身体と心、両方をコントロールし、導く何かでなければなりません。心身が何をどのようにするかを決定するものでなければならないのです。この「わたし」の本性を自覚するようになれば、あなたはいまだかつて味わったことのないパワーの感覚を味わえるようになるでしょう。

3

あなたの人格は無数の個人的な特徴、特異性、習慣、性格から成っています。これらはあなたの以前の考え方の結果ですが、真の「わたし」とは関係がありません。

4

「わたしは……思う」とあなたが言う時、その「わたし」は何を考えるかを心に伝えます。「わたしは……行く」とあなたが言う時、「わたし」はどこに行くかを身体に伝えます。この「わたし」の本性はスピリチュアルなものです。その本性こそが真のパワーの源泉で、それを悟ることによって力がもたらされます。

5

この「わたし」が与えられてきたもっとも偉大な驚くべき力は考える力です。にもかかわらず、建設的に正しく考える方法を知っている人はほとんどいません。だから取るに足らない結果しか達成できないのです。たいていの人は利己的な目的で思考を用います。それは子どもじみた心がもたらす必然的な結果なのです。心は成熟すると、あらゆる利己的な思考に敗北という細菌が住み着いていることを理解します。

6

熟練した心は、あらゆる取引が、それに関わるすべての人になんらかの形で利益をもたらすことを知っています。他人の弱さや無知や必要性に付け込んで、利益を得ようとする一切の試みは、必ず不利益をもたらします。

7

それは個人が宇宙の一部だからです。部分が他の部分を敵に回すことはできません。一方、各部分が繁栄できるかどうかは、全体の利益を認識できるかどうかにかかっています。

8

この原理を認識する人は、何事につけ非常に有利な立場に立ちます。そういう人は消耗しませんし、気まぐれな考えをたやすく排除できます。どんな対象にもそれ以上ないというほど簡単に集中することができます。しかも、自分に利益をもたらしそうにもないものに、時間やお金を無駄に費やしません。

9

あなたにそうしたことができないとすれば、それはこれまで必要な努力をしてこなかったせいです。今こそ、努力する時です。結果は費やされる努力に比例するでしょう。意志を強化し、目的を達成するパワーを自覚するために用いることのできるもっとも強い肯定的暗示の一つは、「わたしはなりたいものになれる」です。

10

この暗示を繰り返すたびに、「わたし」は何者か認識してください。「わたし」の本性を徹底的に理解する努力をしてもらいたいのです。そうすればあなたは揺るぎない存在になるでしょう。そのためには、あなたの目的が建設的で、宇宙の創造原理に調和するものでなければなりません。

11

この肯定的暗示を朝から晩まで唱え続ければ、やがてそれはあなたの一部になり、習慣となるでしょう。

12

そうなるまでは、何も始めないほうがいいでしょう。なぜなら、何かを始めてそれを最後までやり遂げないと、あるいはやる決心をしてもそれを続けないと、必ず失敗するクセがつくと現代の心理学が教えているからです。続けられないものは、始めてはなりません。一旦始めたら、たとえ天が落ちても最後までやり通してください。何かをする決心をしたらそれをやってください。何にも、また誰にも邪魔させてはなりません。あなたの中の「わたし」が決定したのですから、物事は落ち着くところに落ち着きます。賽《さい》は投げられたのですから、もはや議論の余地はありません。

13

最初は、自分でコントロールできるとわかっている小さな物事から始め、徐々に努力を増していけば、最終的に自分自身をコントロールできるようになるでしょう。ただし、どんな状況下でも「わたし」が支配されるのを許してはなりません。多くの人は悲しいことに、自分自身をコントロールするより王国をコントロールすることのほうがやさしいと気づいてきました。

14

しかし、自分自身をコントロールする術を学べば、外の世界をコントロールする「内面世界」が見いだされ、あなたは抵抗しがたい魅力を持つことになります。あなたがこれといった努力をしなくても、人々や物があなたのあらゆる願望に応じてくれるようになるのです。

15

それは一見不可能に思えるかもしれません。しかし、「内面世界」が「わたし」によってコントロールされ、その「わたし」が、普通、神と呼ばれている宇宙エネルギーないしスピリットである無限の「わたし」の一部であり、それと一つであることを思い出せば、そんなに不思議ではないことがわかるはずです。

16

単なる理屈でそのようなことを言っているのではありません。それは最高の宗教思想や科学思想によって受け入れられてきた事実なのです。

17

ハーバート・スペンサー（一八二〇年〜一九〇三年。英国の哲学者）は言いました。「わたしたちを取り巻くすべての神秘の中で、わたしたちが万物を生み出す無限永劫のエネルギーに永遠に包まれているということほど確かなものはない」

18

バンガー神学大学の卒業生を前に行った演説で、ライマン・アボット（一八三六年〜一九二二年。アメリカの神学者）はこう言いました。「わたしたちは神を、外から人間を操っている存在ではなく、人間の内部に住んでいるものと考えるようになっています」

19

科学は物事をあまり深く探究しようとしません。科学は消え去ることのない永遠のエネルギーを発見しますが、宗教はそのエネルギーの背後にあるパワーを発見し、それを人間の中に認めます。しかし、それは決して新しい発見ではありません。聖書はアボットの言葉と瓜二つのことを言っています。その言葉は同じように平易で、説得力に富んでいます。「汝は自分が生きている神の寺院だということを知らないのか？」そこに内面世界の素晴らしい創造力の秘密があります。

20

ここにパワーの秘密があります。パワーに精通するための秘密です。打ち勝つことは清貧に甘んじることではありません。自己否定は成功ではありません。わたしたちは持っていないものは与えられませんし、強くなければ助けられません。無限は破産することはありません。無限のパワーの表現者であるわたしたちも破産することはありません。もし他人のためになりたければ、わたしたちはより多くのパワーを持たなければなりません。しかし、パワーを得るためには、惜しみなく自分を捧げなければなりません。

21

与えれば与えるほど多くのものが手に入ります。わたしたちは宇宙精神が活動を表現できる回路にならなければなりません。宇宙精神は自らをあらわす方法や人のためになる方法を絶えず探しています。偉大な物事を達成できる回路や、最高の善をほどこし、人類にもっとも貢献できる道を探しているのです。

22

あなたが自分の計画や目標を達成することに忙しくしている限り、宇宙精神はあなたを通して表現することはできません。ですから、感覚を鎮め、霊感を求め、心の中の活動に焦点をあて、全能の神と一体の意識にとどまるようにしてください。「波の表面は荒立っていても、深いところでは静かに流れている」のです。宇宙にあまねく行き渡っているパワーの助けを借りて、宇宙のスピリットと交信する無数のチャンスを念じるのです。

23

こうしたスピリチュアルな交信によって宇宙精神が現出させたがっている出来事や環境、状態を具体的にイメージしてください。万物のエッセンスや魂がスピリチュアルなものであることを理解しなければなりません。スピリチュアルなものは存在するすべてのものの命であるゆえに実在するのです。スピリットがいなくなると、命はついえ、死んでしまいます。

24

こうした心の活動は内面世界、すなわち原因の世界に属しています。それによって生み出される境遇や状態が結果です。こうしてあなたは創造者になります。これは重要な仕事です。より高く壮大で高尚な理想を思い描くことができればできるほど、その仕事は重要なものになります。

25

仕事のしすぎや遊びすぎ、身体の動かしすぎは精神的な無関心や停滞を招きます。そうなると、意識的なパワーを自覚させてくれる重要な仕事ができなくなります。したがって、事あるごとに沈黙を探すべきなのです。パワーは休息を通してもたらされます。わたしたちが心を鎮められるのは沈黙の中でなのです。心が鎮まれば、考えることができます。思考はあらゆる達成の鍵です。

26

思考は一つの動きの形態であり、光や電気と同じ波動の法則によって伝達されます。思考は愛の法則を通して働く情動によって活力を与えられ、成長の法則に従って自らを表現します。それはスピリチュアルな「わたし」の産物なのです。ですから、神聖で創造的なのです。

27

以上のことから、パワーや豊かさ、その他の建設的な目標を表現するには、思考に感情を与えて形を取らせるもろもろの情動を呼び起こさなければならないのは明らかです。この目標はどうしたら達成できるでしょう？　それは重要なポイントです。どうすれば偉業に導く信念、勇気、感情を育むことができるのでしょう？

28

答えは、鍛錬によって、です。体を鍛えるためにわたしたちは肉体的に鍛錬しますが、それとまったく同じで精神的な強さも鍛えられます。何かを考える時、最初は苦労するかもしれませんが、二度目は少し楽になります。そして、何度も何度も考えているうちに、やがてそれは心の習慣になります。同じことを考え続けると、最後には自動的なものになるのです。そうなると、そう考えざるをえなくなります。今や自分の考えることに自信を持ち、いささかの疑問もありません。わたしたちは確信します。知っているのです。

29

先週、わたしはリラックスするよう、身体の緊張を手放すよう指示しました。今週は、心のお荷物を手放す番です。先週与えられたエクササイズを一日に一五分から二〇分やっていれば、間違いなく身体をリラックスさせることができるはずです。意識的にそれを素早く完璧にできない人はまだ自分自身の主人ではありません。まだ自由を獲得していないのです。いまだに環境の奴隷《どれい》なのです。しかし、わたしはあなたがそのエクササイズをマスターし、精神的な自由を獲得する次のステップに進む準備ができているものと仮定します。

30

今週は、まずいつもの姿勢で完璧にリラックスすることにより、身体の緊張をすべて取り除きます。それから心の重荷になっているもの、たとえば、憎しみ、怒り、不安、嫉妬、妬み、悲しみ、苦悩、失望などをすべて手放します。

31

それらのものを「手放せない」とあなたは言うかもしれませんが、そんなことはありません。心の中でそうすると決断し、固い意志を持ち続ければいいのです。

32

一部の人がそれをできないのは、知性ではなく情動にコントロールされるのを自分に許してしまうからです。けれども、知性を導きにする人は勝利します。最初はうまくいかないかもしれませんが、練習が成功に導いてくれます。そのうちにきっと、考えられる限りの不和の状態を絶えず生み出す種子である破壊的な否定的思考を完膚なきまでに叩きのめし、追放することに成功するでしょう。

わたしたちが抱く思考の質は、外界にある物と関連しているということ以上の真実はありません。これは逃れようのない法則です。思考と物とが相関関係にあるというこの法則が、太古の昔から人々に神の摂理を信じさせてきたのです。

——ウィリアムス

第5週

心の家の作り方

五週目のレッスンをお届けします。この章を慎重に学習すれば、パワーも物体も出来事もすべて心の働きの結果だとわかるでしょう。

働いている心とは、すなわち思考です。思考は創造的です。人間は現在、以前とは違った考え方をしています。つまり、現在は創造の時代なのです。世界は考える人たちに惜しみない賛辞を送ります。

物質は無力であり、受動的で不活性です。心は力であり、エネルギーであり、パワーです。心が物質を形作り、コントロールします。物質の形は前から存在するなんらかの思考の表現にほかなりません。

とはいえ、思考はいかなる魔法も行いません。自然の法則に従うだけです。思考は自然の力を働かせ、自然のエネルギーを解き放ちます。思考はあなたの行いや活動にあらわれ、結果的にあなたの友人や知人、そして最終的には周囲のものすべてに影響を及ぼします。あなたは思考を生じさせることができます。思考は創造する力を持っているので、あなたは自分の望む物事を自分で生み出すことができます。

1

少なくとも心の活動の九〇パーセントは無意識に行われます。したがって、潜在意識のパワーを活用できない人はとても窮屈《きゅうくつ》な生き方をすることになります。

2

潜在意識は、その導き方さえわかればどんな問題でも解くことができます。潜在意識のプロセスは常に働いています。唯一の疑問は、わたしたちがこの活動の受け手なのか、それとも意識的な誘導者なのかということです。わたしたちは到達すべき目的地や避けるべき危険のビジョンを持っているのでしょうか？　あるいはただ漂流しているだけなのでしょうか？

3

わたしたちは、心が身体のあらゆる部分に浸透し、客観的な世界の影響力や、より支配的な心の領域の影響力によって導かれたり、左右されたりする可能性があることをこれまで見てきました。

4

身体の隅々にまで行き渡っている心は大部分が遺伝の結果です。遺伝は過去の全世代の境遇が絶え間なく変化する敏感な生命力に働きかけた結果にすぎません。その事実を理解すれば、好ましくない性格があらわれても、意識的に対処できるようになります。

5

わたしたちは自分に与えられた好ましい性格のすべてを意識的に活用することができますし、好ましくない性格があらわれるのを抑えたり、阻《はば》んだりすることができます。

6

先ほど、心は大部分が遺伝の結果だと述べましたが、他にも、家庭や職場の環境からさまざまな情報を受け取り、影響を受けています。その多くは他人の意見や提案ですが、ほとんどが無批判に受け入れられてきたものです。

7

ある考えを納得すると、それを受けた意識的な心が潜在意識へ伝え、そこでその考えは交感神経系により拾い上げられ、物質的な身体へと組み込まれます。「言葉が肉体と化す」のです。

8

そうした方法でわたしたちは自分自身を絶えず創造・再創造しているのです。今日のわたしたちは過去の思考の結果です。将来、わたしたちは今日考えているような存在になるでしょう。引き寄せの法則がわたしたちにもたらすのは、わたしたちが好むものでも、望むものでもありません。他の誰かが持っているものでもありません。「わたしたち自身のもの」、つまり、意識するとしないとにかかわらず、わたしたちが思考のプロセスで生み出したものをもたらすのです。不幸にも、わたしたちの多くはそれらのものを無意識に生み出しています。

9

誰でも自分自身の家を建てる時には、念入りに計画を練ります。細部まで綿密に調べ、素材を吟味し、最高のものだけを選びます。それなのに、心の家を建てる時は、こんなにも軽率なのはどうしてなのでしょう。心の家のほうが物質的な家よりはるかに大切なのに。わたしたちの人生に何が入ってくるかは、心の家の素材の質によって決まるのです。

10

素材の質とは何でしょう？　それはわたしたちが過去に蓄積し、潜在意識に溜め込んだもろもろの印象の結果だということを見てきました。もしそれが恐れ、心配、不安などで彩られ、落胆、否定、疑惑などを伴っていたら、わたしたちが今日作るものは同じように否定的な性質になるでしょう。それは価値があるどころか、すぐに傷み、わたしたちを骨折らせ、心配や不安を増大させるだけでしょう。わたしたちはそれを修理し、見かけだけでも美しく見せようとすることに永遠に忙殺されるでしょう。

11

けれども、勇気ある思考のみを蓄えてきたらどうでしょう。これまでずっと楽観的で、一切の否定的思考を即座にお払い箱にし、どんな形であれそれと関わり同一化することを拒んできたら、結果はどうなるでしょう？　心の織物を作る素材は、大変質の良いものになります。そうすれば、望みの織物を織ることができます。その生地がしっかりしていること、その材料が堅固であることをわたしたちは知っています。だから、将来に関し恐れも不安もありません。覆うべきものが何もなく、継《つ》ぎをあてるところもありません。

12

これらは心理的事実です。こうした思考のプロセスには理論も推測もありません。秘密もありません。事実それらはあまりに明白で、誰でも理解できます。必要なのは心の家を掃除《そうじ》することです。毎日掃除し、いつもきれいにしておくべきです。わたしたちが進歩するには、精神的にも道徳的にも、また身体的にも清らかに保つことが絶対に不可欠なのです。

13

心の家を掃除すると、家の素材は、わたしたちが実現したい理想や心のイメージを作るのに適したものとなるでしょう。

14

素晴らしい地所が相続人を待っています。水が流れ、豊富な作物をもたらし、立派な木を育てる広大な土地が見渡す限り広がっています。珍しい絵画、豊富な蔵書、高価な壁掛けなど贅を尽くした品々を備え、安らぎをもたらす広々とした快適な大邸宅があります。相続人がすべきは、相続権を主張し、地所を受け継ぎ、使うことだけです。それを使わなければならないのです。放置して、朽ち果てるままに任せてはなりません。使うということが持ち続ける条件なのです。無視することは失うことを意味します。

15

心とスピリットの領域や実用的なパワーの領域では、素晴らしい地所があなたを待っています。あなたは相続人なのです。自らの相続権を主張し、豊かな遺産を継承し、使用できるのです。その結果、環境を思い通りにできるようになります。健康、調和、繁栄が資産項目です。それはあなたに落ち着きと平和をもたらします。あなたに求められるのは、偉大な資源を調べ、収穫する仕事だけです。あなたが失うのは限界や隷《れい》属《ぞく》状態や弱さだけで、いかなる犠牲も求められません。豊かな遺産を受け継いだあなたは栄光に包まれ、地主になります。

16 この地所を獲得するためには三つの過程が必要です。まず本気でそれを望まなければなりません。次に、自分の権利を主張しなければなりません。そして、所有しなければなりません。

17 それらの過程は別に重荷になるようなものではありません。

18 あなたは遺伝学によく通じています。ダーウィン、ハクスレー、ヘッケルその他の科学者は、遺伝が徐々に機能を進化させる法則だという証拠を積み重ねてきました。直立歩行、動く力、消化器官、血液循環、神経の力、筋肉の力、骨格構造、その他たくさんの身体的な能力を人間にもたらしたのは、遺伝による漸進的な進化なのです。心の力の遺伝に関しては、さらにもっと印象的な事実があります。以上のすべてが、人間の遺伝と呼びうるものを構成しているのです。

19 けれども、自然科学者たちがいまだ理解していない遺伝があります。原初の創造を命じた慈悲深い力に関わるものです。科学者たちが両手を挙げて説明を放棄する地点に、その聖なる遺伝は発見されます。

20

神から下され、あらゆる被造物に生命を吹きこむ神聖な力のことを言っているのです。科学者は物質に命を吹きこむことはできません。そんなことは、今後も永遠にできないでしょう。それは近づきがたいすべての崇高な力の中でも際立っています。いかなる人間の遺伝もそれに近づけませんし、及びません。

21

無限の命があなたの中を流れています。無限の命、すなわちあなたなのです。その扉は意識的に開けたり閉じたりすることができます。その扉を開けておくことがパワーの秘密です。

22

すべての命とパワーの源が内部にあるというのは偉大な事実です。人間や環境や出来事は、さまざまな要求をしたり、いろいろな機会を提供するかもしれませんが、要求に応える力や洞察力、強さなどは内部にあるのです。

23

見せかけを取り繕うのはやめてください。無限の源である宇宙精神から直接流れる力に基づき、しっかりした意識の土台を築いてください。あなたは宇宙精神のイメージなのです。

24

この遺産を所有するに至った人は完全に変身します。これまで夢にも見たことのないパワーの感覚を持つようになるのです。彼らはもう臆病風《おくびょうかぜ》に吹かれず、動揺して怖がることもありません。しっかりと全能の神とつながるのです。彼らの中で何かが目覚めたのです。それまでまったく意識していなかった驚くべき潜在能力を自分が持っていることを突然発見したのです。

25

このパワーは内側からやってきますが、与えなければ受け取ることもできません。使うことがその遺産を受け継ぐ条件なのです。わたしたちは全能の力が形へと枝分かれしていく回路なのです。与えなければ、その回路は妨げられ、わたしたちはそれ以上何も受け取ることができません。このことは人生のあらゆる局面、あらゆる努力の分野、あらゆる階層の人々にあてはまります。与えれば与えるほど、多くを得るのです。強くなりたいと願う運動選手は自分の持てる力を使わなければなりません。使えば使うほど、強さを獲得できます。お金をもうけたいと願う金融家《きんゆうか》は持っているお金を使わなければなりません。なぜなら、使うことによってのみ得ることができるからです。

26

商品を売り続けない商人のところには、何も入ってこなくなります。効率的なサービスができない会社はすぐに顧客を失うでしょう。結果を出せない弁護士はすぐにクライアントを失い、そのため自ら出かけていかなくてはなりません。パワーを持てるかどうかは、わたしたちがすでに持っているパワーを適切に使えるかどうかにかかっています。あらゆる努力の分野やあらゆる人生経験にあてはまることは、人間の知っている他のあらゆるパワーを生み出すパワー、すなわちスピリチュアル・パワーにもあてはまります。スピリットを取り除いたら、何が残るでしょう。何も残りません。

27

スピリットが存在するもののすべてだとしたら、身体的、精神的、霊的なすべてのパワーを示すことができる能力は、この事実を認識できるかどうかにかかっているにちがいありません。

28

すべての財産は蓄積しようとする心の姿勢（つまりお金の意識）の所産です。それはあなたがアイディアを受け取るのを可能にする魔法の杖であり、あなたが実行するプランを編み出します。あなたはそれを実行することに、達成する満足と同じぐらいの喜びを見いだすでしょう。

29

では自分の部屋に行き、これまでと同じ椅子に座り、同じ姿勢を取ってください。そうしたら、心の中で楽しい連想ができる場所を選んでください。その場所をしっかりと思い浮かべ、建物、地面、木々、友人、群集などすべてを鮮明に見てください。最初は外にあるものすべてを思っている自分に気づくでしょう。あなたが集中したいと願っている理想の光景はなかなか鮮明に思い浮かべることができないかもしれません。

でも、落胆しないでください。持続が勝利をもたらしてくれるでしょう。毎日これらのエクササイズを間違いなく続けてやることが必要です。

第6週

注意力を養う

ここに六週目のレッスンをお届けします。この章では、これまでに創造されたもっとも素晴らしいメカニズムを徹底的に解き明かします。それはあなたがご自分で健康、力強さ、成功、繁栄、その他の望みの状態を生み出すことができるメカニズムです。

必要なのは要求することです。要求は行動を生み、行動は結果を生み出します。進化のプロセスは今日あるものから絶えず新しいものを作り続けています。個人の発達は宇宙の進化と同じで、だんだん能力と容量を増していくものにちがいありません。

他人の権利を侵害すれば、道徳的に劣った人間とみなされ、人生のいたるところでやっかいなことに巻き込まれるということをわたしたちは知っています。ということは裏を返せば「できるだけ多くの人に最高の善をほどこす」ことが、成功を招き寄せる役に立つということです。高い志と願望を心に抱き、他人と円満な関係を維持することが良い結果をもたらすのです。最大の障害は間違った考えにしがみつくことです。

永遠の真実と歩調を合わせるには、心の平和と調和を保たなければなりません。情報を受け取るには、受信機の波長を送信機の波長に合わせなければならないのです。

思考は心の産物であり、心は創造的です。しかしながら、宇宙がわたしたちやわたしたちの考えに合わせて営みを変えるわけはありません。わたしたちのほうが宇宙と調和する関係を結べるということです。それが達成できれば、わたしたちは宇宙になんなりと頼むことができるし、その方法はおのずと明らかになるでしょう。

宇宙精神はけた外れに大きなものなので、実際のパワーや可能性、限りない生産力などをすべて理解するのは困難です。

2

宇宙精神は知性そのものであると同時に、物質でもあります。では、どのようにして物質化するのでしょう？　わたしたちはどのようにすれば望む結果を得られるのでしょう？

3

電気の働きは何かと技師に尋ねれば、どんな技師もこう答えるでしょう。「電気は運動の一形態であり、その効果は取り付けられるメカニズムによって異なります」。このメカニズムは熱する、光を灯す、物を動かす、音楽をかける、その他、どんな活用の仕方をするかによって違ってきます。

4

思考はどんな結果を生み出すのでしょうか？　思考は（風が空気の運動であるのと同じように）心の運動であり、その効果は「取り付けるメカニズム」に全面的に依存します。

5

そこにすべての精神的なパワーの秘密があります。どんなメカニズムを取り付けるかによって、パワーの顕れ方が違ってくるのです。

6

そのメカニズムとは何でしょう？　あなたはエジソン、ベル、マルコーニ（一八七四年〜一九三七年。イタリアの電気技師）、その他の電気の魔術師たちによって発明されてきたメカニズム——距離や時間の感覚を劇的に変えたメカニズム——をある程度知っています。けれども、宇宙の全能の力を変容させるためにあなたに与えられたメカニズムがエジソンより偉大な発明家によって発明されたことを、立ち止まって考えたことがあるでしょうか？

7

わたしたちは土を耕すのに使用する道具のメカニズムや自分が運転する自動車のメカニズムについては理解しようとします。ところが大抵の人は、これまでに存在したもっとも偉大なメカニズムである人間の脳についてはまったく無知なのです。

8

このメカニズムの驚異について調べてみましょう。そうすれば脳が原因となって生み出すさまざまな効果をもっとよりよく理解できるでしょう。

9

まず最初に、わたしたちが生きている偉大な精神世界があります。この世界は全知全能で、宇宙の隅々まで行き渡っていて、わたしたちの願望に応えてくれますが、どの程度応えてくれるかは、わたしたちの目的や信念の強さに比例します。わたしたちが抱く目的は存在の法則に一致していなければなりません。つまり、創造的もしくは建設的でなければなりません。わたしたちの信念は目的を実現させる潮流を生み出せるほどの強さを持っていなければなりません。「汝が信じるままに、それをあらしめよ」は科学的な検証に耐えうるものです。

10

外部の世界に生み出される結果は個人と宇宙精神との相互作用の結果です。それはわたしたちが思考と呼んでいるプロセスなのです。脳はこのプロセスが遂行される器官です。その驚異を考えてみてください！あなたは音楽、花々、文学を愛していますか？それとも古代や現代の天才の思想によって鼓舞《こぶ》されますか？どんな美も、脳内に像を結ばなければ鑑賞することはできません。

11

自然の貯蔵庫には、脳が表現できない美徳や原理は一つもありません。脳は必要に応じいつでも発達できる胎児の世界なのです。それが科学的真理であり、自然の素晴らしい法則の一つだということがわかれば、これらの尋常ならざる結果が生み出されるメカニズムを容易に理解できるでしょう。

12

神経系は電力を生み出す電池を持つ回路にたとえられてきました。そしてその白質《はくしつ》（神経策、神経路、神経束の総称）は電流を伝える絶縁された電線にたとえられてきました。すべての衝動や願望はこれらの回路を通して脳というメカニズムに送られます。

13

脊髄は運動感覚情報の偉大な伝達経路であり、身体からのメッセージを脳に伝えたり、脳のメッセージを身体に伝えたりします。それから静脈や動脈に血液を送り込んで、わたしたちのエネルギーや力を刷新《さっしん》させる血液供給や、わたしたちの全身を支える骨格構造があり、最後に、全身を包む美の外套である繊細な皮膚があります。

14

これがすなわち「生きている神の寺院」であり、個人である「わたし」が制御権を与えられています。自分の制御下にあるこのメカニズムをどれだけ理解できるかが、結果を大きく左右します。

15

あらゆる思考は脳細胞を活動させます。最初、思考が向けられる根源物質は反応しませんが、思考が洗練され、集中力を増すと、最終的に反応し、完璧に自らを表現します。

16

こうした心の影響は身体のあらゆる部分に及び、有害な要素を取り除きます。

17 精神世界を支配する法則を完全に理解し把握すれば、商取引に計り知れない恩恵をもたらすのは間違いありません。なぜなら識別力を養い、事実をより鮮明に理解し、評価することを助けてくれるからです。

18 外ではなく内側を見る人間は、最終的に人生のコースを決める強い力を活用できるようになります。その結果、自分がもっとも強く望む最良のもののすべてと同調して生きられるようになります。

19 注意力や集中力は心の発達に欠かせないもっとも重要な必需品です。正しく用いる注意力は驚くべきもので、経験の浅い人には信じられないかもしれません。男女を問わず成功したすべての人たちは、際立った特徴として鋭い注意力を培っています。それはもっとも価値のある個人的な達成物なのです。

20 注意力は太陽光線を集中させる拡大鏡にたとえると理解しやすいでしょう。太陽光線は、拡大鏡が動いている間、あちこちに散らばり、特定の力を持ちません。でも、拡大鏡を固定し、一定時間、一つの箇所に光線を集めると、その効果が一目瞭然になります。

21

思考の力も同じなのです。思考をあちこちにさ迷わせていると、力が分散し、これといった効果はあらわれません。けれども、注意や集中によって一定時間、一つの目標にこの力を集中させれば、何事も不可能ではなくなります。

22

はっきりした目標や対象に思考を集中した経験がない人には、一つの対象を選び、明確な目的を持って、一〇分間、それに注意を集中するよう勧めます。たぶん、あなたにはできないでしょう。どうしても心がさ迷ってしまうからです。そして、一〇分たっても、何も得られないでしょう。なぜなら、思考を目標に定めておくことができなかったからです。

23

けれども、注意力を養えば、あなたの道に立ち塞がるどんな障害をも乗り越えることが可能です。この素晴らしい力を獲得する唯一の方法は訓練です。他のどんなことでもそうですが、訓練を積めば徐々に力がついてくるのです。

24

注意力を養うために、人物の顔を写した一枚の写真を携えて、これまでと同じ部屋の同じ椅子に同じ姿勢で座ってください。少なくとも一〇分間写真を仔細に眺め、目の表情、顔立ち、服装、髪型などを脳裏に焼きつけてください。実際に、写真に写っているすべての細部を注意深く脳裏に刻んでください。次に写真を覆い、目を閉じて心の中で写真を再現します。写真のイメージを細部に至るまで心の中で再現できれば、それで結構です。もしできなければ、できるようになるまでそのプロセスを繰り返してください。

25

このステップは単に整地するためだけのものです。次週は、種蒔きの準備をしましょう。

26

最終的にあなたが気分や態度、意識などをコントロールできるようになるのは、こうした訓練によってなのです。

27

偉大な金融家は、快適な気分でじっくりプランを練って考える時間的なゆとりを持てるよう、大勢の人たちから離れて引きこもる術を身につけています。

28

成功したビジネスマンは、成功した他のビジネスマンのアイディアに絶えず注意を向けることで利益を得ています。

29

たった一つのアイディアが数百万ドルの価値を持つこともあるかもしれません。そうしたアイディアはそれを受け取る準備ができた、成功する心の枠組みを持った人のところにしか訪れません。

30

人間は自らを宇宙精神に調和させる方法を学びつつあります。万物の一体性を学んでいるのです。人間は思考の基礎的な手法と原理を学んでおり、それが状況を変え良い結果を増やしています。

31

精神的、霊的に進化すれば、それに見合った境遇や環境がついてきます。知識の後に成長が、インスピレーションの後に行動が続き、認識の後にチャンスが訪れることに人間は気づいています。最初はいつも霊的なものですが、それが無限の達成の可能性に変容するのです。

32

個人は宇宙精神が分化する回路にほかなりませんから、これらの可能性は必然的に無尽蔵《むじんぞう》です。

33

思考とは、パワーのエッセンスを吸収し、通常の意識の一部になるまで、それを意識の奥に持ち続けるプロセスです。これまで述べてきた基本的原理をしっかりと把握し、忍耐強く実践すれば、そうしたプロセスを推し進め、宇宙の真理へと通じる扉を開けることができます。

34

現在の人間を苦しめている二つの大きな源は身体的な病と精神的な不安です。これらは、わたしたちの知識が断片的なものに偏ってきたことに起因しています。しかしながら、長年蓄積してきた暗雲が消え去り、それといっしょに不完全な情報につきまとう不幸の多くも消滅し始めています。

人間は自分自身を改善し、生まれ変わることができるだけではなく、環境を制御し、自分の運命を欲しいままにすることもできる。正しい思考の建設的な力に目覚めた人はすべてそういう結論に至ります。

——ラーセン

第7週

イメージの威力

人間は太古の昔から、万物を生み出し、絶えず再生し続ける目に見えない力を信じてきました。この力を人格化して神と呼んでもいいでしょうし、万物に浸透する精髄《せいずい》（エッセンス）もしくはスピリットと考えてもよいでしょう。呼び方が違っても、指しているものは同じです。

個々人について言えば、人間は二つの側面を持っています。一つは、客観的、物質的で目に見える人格的側面です。それは身体、脳、神経から成り、五感で認識できます。一方、主観的で目に見えないスピリチュアルな性質の非人間的な側面も持っています。

人格的なものは個人としての自覚を持っているゆえに意識的です。他のすべての存在と種類も質も同じ非人格的なものは自らを意識していないので、潜在意識と名づけられてきました。

意識的な個人は意志と選択の力を持っているゆえに、困難な問題を解決する方法の選択において識別力を働かせることができます。

すべてのパワーの源泉と一つである非人格的なものないしスピリチュアルなものは、そのような選択をすることはできませんが、逆に、自分の思い通りにできる無限の資源を持っています。それは人間の心には想像もつかない方法でいろいろな結果を生み出すことができます。

人間の意志にはさまざまな制約や誤解が伴いますが、それに頼れるというのは心強いことです。その上、あなたは無限の力を擁する潜在意識を活用することもできます。これから紹介するのは、その素晴らしい力の科学的説明です。それを理解し、十分に認識すれば、その力を思い通りに使うことができます。

7章では、この全能のパワーを意識的に活用する一つの手段を紹介します。

1

ビジュアリゼーション（観想）は、心の中にイメージを作るプロセスです。そのイメージはあなたの未来を形作るパターンとして働く鋳型、モデルとなります。

2

恐れることなく、美しい壮大なイメージを心の中に抱いてください。あなた以外、制限を課す者は誰もいません。費用も素材も制限されていません。無限の供給源を利用して、想像力の中で組み立てるのです。それはどこか他のところに出現する前に、心の中に存在しなくてはなりません。

3

鮮明なイメージを抱き、心の中にしっかりと抱き続ければ、徐々にそれを自分の方にたぐり寄せることができるでしょう。あなたは「なりたい」人間になれるのです。

4

これはよく知られている心理学的事実ですが、不幸なことに、それがわかっても、望みの結果は得られません。心の中にイメージを形作る助けにさえならないでしょう。ましてや、それを顕在化させることなどできません。さらなる努力が必要なのです。ほとんどの人がやりたがらないきつい精神的な作業が待っているのです。

5

最初の一歩は概念化の作業です。それもまた非常に重要なステップなのです。それはあなたが構築しようとしているものの設計図にあたるものだからです。設計図はしっかりしたものでなければなりません。永久的なものでなければならないのです。建築家は三〇階のビルを建てるプランを練る時、事前にあらゆるラインや細部を思い描きます。エンジニアは峡谷に橋をかける時、まず無数の部品の必要強度を確かめます。

6

彼らは実質的な作業を始める前に、最終結果を見ます。同じようにあなたも、自分が欲しているものを心の中に思い描かなければなりません。あなたは種を蒔こうとしています。けれども、種を蒔く前に、どんな収穫があるか、あらかじめ知らなくてはなりません。それが概念化するということです。ピンとこないなら、明確なイメージを抱けるようになるまで、椅子に座って日々エクササイズに励んでください。それは徐々にはっきりしてくるでしょう。最初は全体像がぼんやり見えるだけかもしれませんが、徐々に形をなし、外観ができあがり、細部が埋められていくでしょう。それにつれてあなたは計画を立てるパワーを身につけていくでしょう。最終的に計画は客観的世界の中で物質化されます。あなたは未来が自分のために何を用意しているかわかるようになるでしょう。

7

その後、ビジュアリゼーションのプロセスがきます。あなたは細部に至るまで完璧に映像を見なければなりません。細部がはっきりし始めると、それを物質化する方法や手段がわかってきます。思考は行動に導き、行動は手法を育み、手法は友人を育て、友人は環境をもたらします。最後に第三のステップ、すなわち物質化が達成されます。

8

宇宙が物質的事実になる以前、形へと変換される思考だったにちがいないことは誰でも認めています。思考が具体的な形を取って物質的な宇宙が生まれたのです。わたしたちの思考も、種類や質の点で、宇宙を生み出した思考となんら変わりありません。違いは規模の違いだけです。ですから、わたしたちの思考も形を取ることがわかるのです。

9

建築家は自分のビルを思い描きます。自分の望むままにそれを見るのです。高層ビル、低層ビル、美しいビル、簡素なビル、どんなビルだろうと、彼の思考はそれらのビルを最終的に生み出す可塑的な鋳型になります。ビジョンは紙の上で形となり、最後に必要な素材を使ってビルが建てられます。

10

発明家はまったく同じようにして自分のアイディアを思い描きます。たとえば、偉大な知性の持ち主、ニコラ・テスラ（一八五六年～一九四三年。セルビア系アメリカ人の発明家。ラジオに用いられる誘導コイルを発明したことで知られている）は歴史上、もっとも偉大な発明家の一人です。驚くべき現実を生み出してきたニコラは、新しいアイディアを思いつくとそれを作る前に心の中で思い描くのを常としていました。あわててそれを形にし、欠点を修正する時間を費やすということをしなかったのです。まず想像力の中でそのアイディアを組み立て、欠点を修正したり、作り直したりしたのです。「こうすれば」と彼は『電気実験家』の中で書いています。「何にも触れることなく、素早く概念を育み、完成させることができます。想像力の中で考えられる限りの改良をほどこし、どこにも欠点がなくなったら、脳の産物として具体化します。わたしが発明した装置は例外なく思い描いた通りに働きます。二〇年間、一つの例外もありませんでした」

11

ニコラのようなやり方ができるようになれば、あなたは「望んだ物の実体」を把握できるようになるでしょう。忍耐や勇気に導く自信も育むことになるでしょう。さらに集中力もつき、自分の目的に合わないすべての思考を排除できるでしょう。

12

思考は形となってあらわれるのが法則です。独創的に考える方法を知っている人だけが、思考の熟達者として権威を持って話すことができます。

13

鮮明さや正確さは心の中で繰り返しイメージすることによってのみ獲得されます。繰り返すたびにイメージは鮮明かつ正確になっていきます。そして、イメージの鮮明さと正確さに比例して、それが鮮明かつ正確に外側にあらわれてきます。外側の世界で形として表す前に、心の中でそれをしっかり構築しなければなりませんが、適切な素材がなければ、心の世界でさえ、価値あるものは何も作れません。素材さえあれば、望むものをなんなりと作ることができますが、素材はよく吟味しなければなりません。粗末な毛糸で質の良い広幅織りの布地を作ることができないのと同じです。

14

この素材は、何百万という寡黙な頭脳労働者たちによってあなたが心に抱いた形に仕立てあげられます。

15

考えてみてください！　あなたはそのような意識的な頭脳労働者――脳細胞と呼ばれている――を少なくとも五百万人以上抱えているのです。さらに、少なくとも同じ数だけの予備隊がいて、どんな些細な要求にも応じようと待機しています。ですから、あなたの望むような環境を自分で作るために必要な材料を生み出すあなたの力も、実質的に無限だということなのです。

16

これらの何百万という頭脳労働者に加え、あなたの身体には、数十億の頭脳労働者がいて、そのそれぞれが、与えられたメッセージや暗示を理解して行動に移す十分な知性を授けられています。これらの細胞は身体を作ってはまた作り直すことにいそしんでいますが、そのことに加え、非の打ち所のない成長を遂げるために必要な物質を、自分のほうに引き寄せることができるサイキックな能力を授けられています。

17

彼らは、あらゆる生命が成長するために必要な物質を自らに引き寄せるのと同じ法則に則って、必要なものを引き寄せます。オーク、薔薇、百合、すべてが完璧に自己を表現するために特定の物質を必要とします。無言の要求、すなわち引き寄せの法則によってそれを確保するのです。それはあなたが完璧な成長を遂げるために必要なものを確保するもっとも確実な方法なのです。

18

まず心にイメージを抱きます。そのイメージを鮮明にしてください。細部までくっきりとわかるようにして、それをしっかりと心の中に保ち続けます。そうすれば、方法や手段があらわれてくるでしょう。そして、要求したものが供給されるでしょう。あなたは適切な時に適切な方法で適切なことをするように導かれるでしょう。本心から出た願望は確信的な期待を生み出します。次にそれは確固たる要求によって強化されなければなりません。この三つがそろえば、何事でも達成できます。本心から出た願望は感情であり、確信に満ちた期待は思考であり、確固たる要求は意志だからです。すでに見てきたように、感情は思考に活力を与え、意志は、思考が成長の法則によって形として表されるまで、思考をしっかりと保持し続けます。

19

人間がそのようなとてつもないパワーを、言い換えれば、自分では想像もつかない超越的な能力を内に秘めているというのは素晴らしいことではないでしょうか？　わたしたちが常に強さやパワーを「内側」ではなく「外側」に探すよう、教えられてきたのは不思議です。人生にこうしたパワーがあらわれると、超自然的なことだとわたしたちは告げられてきました。

20

この素晴らしいパワーを理解するのは大切なことです。でも、自分の内なるパワーを理解し、健康で力強い人生を実現しようとまじめに努力をしても、実現できない人がたくさんいます。彼らは法則を理解できないのです。ほとんどの場合、彼らはお金、権力、健康、富など外的なものを求めますが、それらが結果であり、原因がわからないと手に入らないことに気づけません。

21

外側の世界にとらわれない人たちは、もっぱら真理を確かめようとします。知恵だけを探し求め、その知恵があらゆるパワーの源を明らかにすることを発見するのです。そして、外の世界に望みの状態を生み出す思考や目的の中に知恵があらわれることを理解します。この真理は、高貴な目的や勇気ある行動となってあらわれます。

22

理想だけを心に抱き、外の状態は考えないようにしてください。そして内側の世界を美しく、豊かにしてください。そうすれば、外側の世界はあなたが内側に作り出した状態を表現するでしょう。あなたは自分が理想のイメージを生み出す力を持っていることを自覚するでしょう。そして、それらの理想は結果の世界に投影されるでしょう。

23

たとえば、ここに負債を負っている人間がいるとします。負債が頭から離れず、絶えずそのことを考えています。思考は原因なので、結果的に彼は負債にこだわり続けるだけではなく、実際により多くの負債を負うことになってしまい損失はより大きな「損失」に導くという引き寄せの法則を働かせてしまうのです。

24

では、正しい原理とは何でしょう？　自分が欲することにのみ注意を集中することです。豊かさを思い浮かべればいいのです。豊かさの法則を働かせる方法や計画を思い描くのです。豊かさの法則が生み出す状態を思い浮かべるのです。そうすれば結果があらわれます。

25

もしその法則が、絶えず欠乏や恐れの思考を抱いている人たちに、貧困、欠乏、あらゆる形態の限界をもたらすよう働くとすれば、勇気や力の思考を抱いている人たちには、同じような正確さを持って、豊かさや富の状態をもたらすよう働くでしょう。

26

これは多くの人たちにとって難しい問題です。わたしたちはあまりに心配しすぎてすぐに不安や恐れや苦痛を表に現し、何とかしなければとあせります。わたしたちは、種を蒔いたばかりなのに一五分ごとに土を掘り起こし、種が育っているかどうかを確認せずにいられない子どもに似ています。もちろん、そのような状況下では、種は発芽しません。でも、わたしたちの多くが心の世界で行っているのはまさにこれなのです。

27

わたしたちは種を蒔いたら、邪魔しないでそっとしておいてやらなければなりません。だからと言って、何もしないでいいというわけではありません。それどころか、これまで以上にたくさん、上手に仕事をこなすようになるでしょう。絶えず新しい道が提示され、新しい扉が開かれます。その瞬間に、行動する準備をしてください。必要なのは、開かれた心を持つことだけなのです。

28

思考力は知識を獲得するもっとも強力な手段です。どんな問題でもそれに集中すれば、解決策が見つかるでしょう。人間の理解力が及ばないものなど何もありません。けれども、思考力を制御し、あなたの言いつけどおりにさせようとするなら、努力が必要です。

29

思考は、あなたの経験を左右する運命の歯車を回転させる蒸気を生み出す火であることを思い出してください。

30

自分自身に二、三の問いかけをし、その答えを敬虔な気持ちで待ってください。あなたは自分の内部にときどき自己を感じませんか？　あなたはその自己を主張しますか、それとも多数派の意見に従いますか？大衆は常に導かれる存在であって、先頭には立たないことを覚えておいてください。蒸気機関や動力織機、その他これまでに提案されてきた新しい発明品や改良品に必死に抵抗したのは大衆でした。

31

今週のエクササイズは友人を思い描くというものです。最後に会った時の友人を、ありのままに思い浮かべてください。部屋や家具も心の目で見てください。交わした会話を思い出し、友人の顔を鮮明に思い描いてください。そして、お互いに興味を抱いているテーマについて、友人に語りかけてください。友人の表情の変化や、ちょっとした笑いも見逃してはなりません。できるでしょうか？　よろしい、できると言うなら、次に彼の関心を惹きつけるために、ある冒険談を話して聞かせ、友人の目が興味と興奮で輝くのを見てください。以上のことがすべてできるなら、あなたの想像力は申し分ありません。あなたは素晴らしい進化を遂げつつあるのです。

第8週

想像力を養う

ここに八週目のレッスンをお届けします。この章では、考えることを自由に選べても、思考の結果は常に不変の法則に支配されるということがわかるでしょう。わたしたちの人生が、いかなる気まぐれや偶然にも左右されず、法則に司られていることを知るのは素晴らしいことではないでしょうか？　この法則がわたしたちのチャンスになります。なぜなら、その法則に従えば、確実に望みの結果が得られるからです。

それは宇宙を壮大なハーモニーの賛歌にする法則です。もし法則がなければ、宇宙はコスモス（秩序）ではなく、カオス（混沌《こんとん》）になってしまうでしょう。

善悪の起源の秘密を解く鍵がここにあります。つまりこうです。思考は行動を招きます。もしあなたの思考が建設的で調和したものなら、結果は善になります。もし破壊的で調和していなければ、結果は悪になるでしょう。

つまり、一つの法則、一つの原理、一つの原因、一つの力の源があるだけなのです。善悪はわたしたちの行為の結果――この法則に従っているかいないかの結果――を示すために命名された言葉にすぎません。

このことの重要性はエマソン（一八〇三年～一八八二年。独創的な思想の力を擁護した一九世紀の幻想的な思想家）やカーライル（一七九五年～一八八一年。歴史的著作を多く残した一九世紀の作家）の人生で十分に証明されています。エマソンは善を愛したので、彼の人生は平和と調和の一大交響曲でした。一方、カーライルは悪を憎んだので、彼の人生は果てしない争いと不和の記録になりました。

この二人の偉大な人間はそれぞれ同じ理想を達成することを目指していました。ところが、一方は建設的に思考を用いたため、自然の法則と調和して生き、もう一方は否定的に考えることに終始したため、あらゆる種類と性格の不和を招き寄せることになったのです。

ですから、たとえ「悪」であろうと、何事も憎むべきではないことは明らかです。なぜなら、憎しみは破壊的だからです。破壊的な思考を抱けば、「風の種」を蒔くことになり、ゆくゆくは「旋風」を刈り取ることになることがすぐにわかるでしょう。

1

思考は重要な原理を含んでいます。なぜならそれは宇宙の創造原理であり、本質的に他の似たような思考と結びつくからです。

2

生命の一つの目的は成長することなので、存在の基盤となるあらゆる原理はそれに貢献しなければなりません。だから、思考は形を取り、成長の法則が最終的にそれを顕在化させるのです。

3

あなたは考えることを自由に選べますが、思考の結果は不変の法則に司られています。ある考えをしつこく抱き続ければ、それが本人の性格、健康、環境に影響します。だから、好ましくない結果しか生み出さないとわかっている習慣を建設的に考える習慣で取って代わらせることが、きわめて重要な意味を持つのです。

4

それが決して簡単ではないことを誰でも知っています。心の習慣は制御するのが難しいのです。でも、やってできないことはありません。そのためには、破壊的思考を建設的思考にすみやかに取って代わらせなければなりません。あらゆる思考を分析する癖をつけてください。もしある思考が必要なものなら、言い換えれば、現実化した時、自分自身だけではなく影響を及ぼすすべての人たちにも利益をもたらすものなら、それを保持し続けてください。そして大切に保存してください。それは価値を持っているのです。無限と調和しているのです。ですから、成長したあかつきには、豊かな実りをもたらすでしょう。一方、ジョージ・マシュー・アダムスの次の引用を心に留めておくと為《ため》になるでしょう。「扉を閉め、あなたの心や世界から、これといった明確な目的もなく入場を求める一切の要素を締め出しておくことを学びなさい」

5

これまであなたの思考が批判的か破壊的で、周囲に不和や不調和の状態を引き起こしてきたとするなら、建設的に考える助けになる心の姿勢を培う必要があるかもしれません。

6

その場合、想像力が大きな助けになるでしょう。想像力を養うことが、未来を生み出す理想を育むことに導いてくれるのです。

7

想像力は、あなたの未来を包み込む織物を織るための素材を集めます。

8

想像力は、新しい思考と経験の世界を貫き通すことができる光なのです。

9

想像力は、すべての発見者や発明家が前例を乗り越えて新たな境地の道を切り開いてきた強力な道具です。前例は「無理だ」と言っても、経験は「できる」と言うのです。

10

想像力は、可塑的で、感覚で捉えられるものを新しい形や理念に仕立て上げます。

11

想像力は、あらゆる建設的な行動形態に必ず先行する建設的な思考形態です。

12

建設業者は建築家から設計図をもらうまで、どんな建物も建てられません。建築家は自分の想像力によって設計図を書かなければなりません。

13

産業界の大立者が何百万ドルもの資本を投じて、何百もの企業を買収し、何千人もの従業員からなる巨大企業を作り上げるには、まず、その全過程を想像しなければなりません。物質界の物質は陶芸家の手にある粘土のようなものです。実際にものが作られる過程は職人の心の中にあります。それを可能にするのが想像力です。想像力を培うには、鍛錬しなければなりません。身体の筋肉だけではなく、心の筋肉を鍛えるにも鍛錬が必要なのです。それは栄養を補給されないと、発達できません。

14

一部の人が耽りたがる空想や白昼夢と想像を混同しないでください。白昼夢は精神的な消耗の一種で、精神的混乱におちいる可能性があります。

15

建設的な想像は精神的な労働を意味します。一部の人に、それはもっとも難しい労働の一種だと考えられています。たとえそうだとしても、それは大きな見返りをもたらします。というのも、人生で偉大なことを成し遂げてきた人たちは、男女を問わず皆、考え、想像し、夢を実現させる能力を持った人たちだからです。

16

「宇宙の心は唯一の創造原理である。それは全知全能で、あまねく行き渡っている。あなたは自分の考える力を通してこの全知全能の神と意識的に調和できるようになる」。以上の事実を心の底から自覚した時、あなたは正しい方向に大きな一歩を踏み出すことになるでしょう。

17

次のステップは、思考のパワーを受け取る立場に身を置くことです。それは宇宙の隅々にまで行き渡っているので、当然、あなたの内部にもあるのです。それでも、パワーは養い育てなければなりません。そのため、わたしたちは受容的にならなければなりません。その受容性は身体的な強さと同じように鍛錬によって獲得されます。

18

引き寄せの法則は、あなたの習慣や性格や支配的な心の姿勢に対応する状態や環境、人生経験などを間違いなく確実に引き寄せるでしょう。教会にいる時、良い本を読み終えた時にたまたま考えるのではなく、いつもどんな心の姿勢で生きているかが問題なのです。

19

たとえば、一日のほとんどの時間、否定的な思いに耽っているのに、一〇分間だけ肯定的に考えたからと言って、美しい調和の取れた状態を期待するのは無理な話です。

20

本物のパワーは内側からやってきます。誰にでも使えるパワーはすべて人間の内部にあります。その力を目に見えるようにするには、まず自分の中にそれを認めて、一体化しなければなりません。

21

人は豊かな生活をしたいと言います。ところが、適度な運動と規則正しい食生活で健康を保っていれば、望んでいる豊かな生活が実現できると思っています。そのような生き方でもたらされるのは無関心であるにすぎません。けれども、真理に目覚め、全生命との一体性を確信すると、自分が明晰な目、軽やかな足取り、若々しい活力を持っていることに気づきます。すべてのパワーの源を発見したことに気づくのです。

22

あらゆる過ちは無知の過ちにほかなりません。成長や進化を決定するのは、知識の獲得とその結果もたらされるパワーです。知識を獲得し示すことがパワーを生み出すのです。そのパワーはスピリチュアルなもので、万物の核心に横たわっています。それは宇宙の魂なのです。

23

この知識は人間の考える力がもたらす結果です。したがって、思考は人間の意識進化の芽だと言えます。思考や観念の世界で前進することをやめると、人は即座に力を失い始め、徐々にその変化が表情にあらわれてきます。

24

成功者は実現したい状態を思念し続けることを自分に課しています。必死に追い求める理想の実現化に必要な次のステップを、絶えず心に描き続けるのです。思考は理想の建物を建てる材料です。想像力が彼らの精神的な仕事場になります。心は成功の建物を建てるのに必要な人間や環境を確保するための動的な力です。想像はすべての偉大な物事が形作られる母体なのです。

25

もしあなたが自分の理想にずっと忠実であったら、あなたの計画が実現される環境が整った時、あなたは天命を聞くでしょう。その結果は、あなたの信念の強さを正確に反映するでしょう。一貫して保たれてきた理想が、それを実現するために必要な状態を予《あらかじ》め決定し、引き寄せるのです。

26

こうしてあなたはスピリットと力を自らの存在の中に吸収し、あらゆる害から永遠に守られて、運の良い人生を送ります。つまり、あなたは豊かさや調和の状態を引き寄せる肯定的な力になるのです。

27

それが一つの酵母菌《こうぼきん》となり、徐々に全体意識に染み込んで、至るところに見られる不安な状態を追放していきます。

28

先週、あなたはイメージを生み出し、それを目に見えない世界から目に見える世界へと持ち込みました。今週は、あるものを選び、それの起源まで遡《さかのぼ》って、それが実際に何から成り立っているかを見ていきましょう。それによって想像力、洞察力、知覚力、明敏さなどを培うことになるでしょう。そうした能力は多くのものを表面的に観察するだけでは培われません。表面下に隠されたプロセスを見る、鋭い分析的な観察によってのみ培うことができるのです。

29

自分の見ているものが単なる結果であり、それらの結果を生み出す原因があることを理解している人は、ほとんどいません。

30

これまでと同じ姿勢を取り、戦艦を思い描いてください。その恐ろしげな怪物が水面に浮かんでいるのを見てください。どこにも命の兆しがあるようには見えません。すべてが沈黙しています。戦艦の大部分が水面下にあるのをあなたは知っています。目に見えないのです。その船が二〇階建ての摩天楼と同じぐらい大きくて重いことをあなたは知っています。何百人という人間が指定された仕事を即座にこなすために待機しているのもわかっています。すべての部門が豊富な経験を積んだ熟練した技を持つ有能な士官たちに管理されていることも知っています。それは一見、周囲のことを気に留めていないように見えますが、周囲のすべてを見る目を備え、何事もその鋭い視界から逃れられないこともわかっています。戦艦は静かでおとなしく無害なように見えますが、敵に向かって数千ポンドもの重さがあるロケット弾を発射する準備をしています。これらのことを、いやそれ以上のことをあなたはさほど努力をしなくても思い浮かべることができます。けれども、その戦艦は今いるところにどうやって存在するようになったのでしょう？　最初、どのようにして生まれてきたのでしょう？　あなたが注意深い観察者なら、そうしたことすべてを知りたくなるでしょう。

31

鋼板を製造する製鉄工場まで遡り、そこで製造にあたっている何千人もの従業員を見てください。さらに遡り、鉱山から掘り起こされた鉱石、それがはしけやトロッコに積まれて運ばれるところ、それが溶かされて製鉄されるところを見てください。もっと遡り、その戦艦を設計する造船家や技師を見てください。彼らが戦艦を建造する理由を探るため、もっと遡ってみてください。そうすれば、戦艦がもはや存在していない地点、造船家の脳の中に存在する一つの思考だった地点にまで遡るでしょう。戦艦を建造するという命令はどこからきたのでしょうか？　たぶん国防長官からでしょう。けれども、恐らくこの船は、戦争が考えられるずっと前に計画されたのでしょう。議会は予算をこれに充《あ》てるための議案を通過させなければなりませんでした。多分、その議案に反対する声もあったでしょう。これらの議員は誰を代表しているのでしょう？　あなたやわたしです。ですから、わたしたちの一連の思考は戦艦に始まり、わたしたち自身で終わります。普段は気づいていませんが、わたしたちは多くのことに責任を負っているのです。もう少し思索を深めていけば、もっとも重要な事実に行き当たります。それは、もし誰かがこの莫大な量の鋼鉄のかたまりを鋳造して海の上に浮かばせるための法則を発見していなかったら、その戦艦はこの世に存在するに至らなかっただろうということです。

32

その法則とはこうです。「どんな物質の重力も同じ体積の水に相当する重量に等しい」。この法則の発見は海を使ったあらゆる種類の旅行、交易、戦争に革命をもたらし、戦艦、航空母艦、豪華客船の誕生を可能にしました。

33

あなたはこのエクササイズが貴重だと気づくでしょう。思考を訓練して表面下のプロセスを見られるようになると、すべてが異なった様相を帯び、大切でないものが大切になり、興味ないものが興味あるものに変わります。わたしたちが重要でないと思っていたものが実際には唯一重要なものとみなされるようになるのです。

今日を見つめなさい
なぜなら、今日は命だから。命の中の命だから。
その短い時間の中に、あなたという存在の
すべての真実と現実が横たわっている
成長の至福

行為の栄光

美の輝きが横たわっている。

なぜなら、昨日は一つの夢にすぎず

明日は一つのビジョンにすぎないからだ。

しかし十分に生きられた今日はすべての昨日を幸福の夢にし、

すべての明日を希望のビジョンにする。

だから、今日をよく見つめなさい。

——サンスクリットの詩

第9週

肯定的暗示の活用法

九週目のレッスンをお届けします。この章では、自分自身で望み通りの状態を築く道具を作る方法を学んでいきます。

もし状況を変えたいと思うなら、自分自身を変えなければなりません。あなたの気まぐれ、願望、空想、野心は至るところで邪魔に遭《あ》うかもしれませんが、あなたの心の奥にある思いは、植物が種から芽吹くのと同じように確実に表に現われてくるでしょう。

では、状況を変えたい時、どうすればいいでしょう? 答えは簡単です。成長の法則を利用すればいいのです。原因と結果の法則は物質界と同じように目に見えない思考の領域においても、絶対的で間違えることはありません。

自分の望む状態を思念し続けてください。それを既成事実として確信するのです。そうすれば、強力な肯定的力が働くようになります。絶え間なく繰り返すことによって、それがわたしたち自身の一部になるのです。実際にわたしたちは自分自身を変えようとしています。なりたい自分自身を作ろうとしているのです。

性格は偶然作られるものではありません。持続的な努力の結果なのです。もしあなたが臆病な上、優柔不断で自意識過剰なら、あるいは、著しい不安、恐れ、差し迫った危険などに悩まされているとしたら、「ふたつのものが同じ場所に同時に存在することはできない」ことが自明であることを思い出してください。精神世界やスピリチュアルな世界でも、まったく同じことがあてはまるのです。ですから、それを治癒する方法は明白です。恐れ、欠乏、限界といった思考を勇気、パワー、自己信頼、自信といった思考で取って代わらせればいいのです。

それをするもっとも楽で自然な方法は、自分の特定のケースにあてはまるように思える肯定的な暗示を用いることです。その肯定的思考は、光が闇を打ち砕くように、確実に否定的思考を打ち砕き、望むような結果をもたらすでしょう。

行為は思考の開花であり、その結果、さまざまな状態が生み出されます。ですから、あなたは、確実に自分自身を作ったり、壊したりする道具を自らの掌中に収めているのです。行為の結果として、喜びや苦悩がもたらされるのです。

1

「外の世界」で望むことができるものは三つしかありません。そのいずれもが「内なる世界」にあります。それらを見つける秘訣は、個人がアクセスできる全能のパワーに正しい結合の「法則」を適用するだけでいいのです。

2

すべての人間が望む三つのもの、人間の最高の表現と完璧な発達になくてはならない三つのものとは、健康、富、愛です。健康がなくてはならないものだということは誰でも認めるでしょう。身体に痛みがあれば、誰だってハッピーにはなれません。富が必要だということは簡単には認めないでしょう。けれども、必需品を手に入れられるぐらいの富は必要なはずです。ある人物にとって十分だと考えられるものが他の人にとってはまったく不十分だと考えられることもあります。自然は十分なだけではなく、贅沢なほど豊かなので、欠乏や限界というものはすべて、人為的に引き起こされるものだということがわかります。

3

愛が三番目に必要なものだということは多分誰でも認めるでしょう。ひょっとしたら人類の幸福にとって一番基本的で欠かせないものだと言う人もいるでしょう。いずれにしても、健康と富と愛、三つをすべて持っている人は、自分たちの幸せの祭壇に付け加える必要があるものはないと感じます。

4

宇宙の根源物質が「健康」「富」「愛」から成っており、わたしたちは思考によってその無限の供給源と意識的につながることができるとわかりました。つまり、正しく考えることは、「秘密の頂《いただき》」に入り込むことなのです。

5

何を考えるか？　それがわかれば、「わたしたちが欲するどんなもの」にも結びつけてくれる正しい引き寄せの法則を発見できます。この法則は非常にシンプルに思えるかもしれませんが、どうか読み進めてください。それが実際には、「マスター・キー」――お望みなら「アラジンの魔法のランプ」と言ってもいい――であることに気づくはずです。それが基盤であり、必要条件であり、繁栄すなわち健康の絶対法則であることに気づくはずです。

6

正しく、正確に考えるためには、「真実」を知らなければなりません。真実はあらゆるビジネスや社会関係の基本原理なのです。それはあらゆる正しい行動に先立つ状態です。真実を知ること、確信すること、自信を持つことが比類のない満足をもたらします。それは疑いと紛争と危険の世界で唯一堅固な基盤なのです。

7

真実を知ることは無限の全能パワーと調和することです。したがって、抵抗しがたいパワーとつながることを意味します。あらゆる種類の不和、不調和、疑い、間違いを洗い流してくれるパワーとつながるのです。というのも、「真実は強力であり、何事にも勝る」からです。

8

もっとも謙虚な識者は、どんな行動でも、それが真実に基づいていることがわかれば、その結果を簡単に予言できます。一方、もっとも深い洞察力を備えたどんなに力を持った識者でも、自分の望みが偽りだとわかっている前提に基づいているなら、簡単に道を見失い、結果をまったく予測できません。

9

真実と調和しないすべての行動は、無知ゆえか意図的かにかかわらず、不和を引き起こし、最終的にそれ相応の損失をもたらします。

10

では、わたしたちを無限に結びつけてくれるこの法則を引き寄せるために、どのようにして真実を知ればいいのでしょう？

11

もし真実が宇宙精神の重要な原理で、あまねく行き渡っていることを悟れば、そのことに関して間違いを犯すことはありえません。たとえば、健康を求めているなら、あなたの中の「わたし」がスピリチュアルで、すべてのスピリットが一つであること——部分はどこをとっても同時に全体であること——を自覚すれば、健康な状態がもたらされます。なぜなら、身体のすべての細胞は、あなたの見た通りの真実を必ず表現するからです。あなたが病を見れば、病をあらわすでしょう。完璧さを見れば、完璧さをあらわすでしょう。「わたしは非の打ち所のない全体で、力強く、愛と調和に溢れ、幸せだ」という肯定的な思いは円満な状態をもたらすでしょう。なぜなら、その肯定的な思いは真実にぴったり一致するからです。真実が現れる時、あらゆる形の間違いや不和は消えさる運命にあります。

12

「わたし」がスピリチュアルであることは揺るぎない真実です。ですから、「わたしは非の打ち所のない全体で、力強く、愛と調和に溢れ、幸せだ」という肯定的な考えは、科学的に正確なものなのです。

13

思考はスピリチュアルな活動であり、スピリットは創造的です。よって、ある思考を心の中に持ち続ければ、必然的にその思考と調和する状態を生み出さずにはいません。

14

あなたが富を必要とするなら、あなたの中の「わたし」が、全能の根源物質である宇宙精神と一つであることを認識してください。そうすれば引き寄せの法則が働き、あなたの肯定的な思いの強さに応じるパワーと豊かさの状態を生み出し、成功を後押しする力と共振するようになるでしょう。

15

ビジュアリゼーションは、あなたが必要とする結合のメカニズムです。それは見ることとはまったく異なるプロセスです。見ることは物理的で、客観的な「外的世界」に関わっています。他方、ビジュアリゼーションは想像の産物であり、主観的な「内的世界」の産物です。それゆえ、生命力を持っており、成長します。思い描かれたものは形を取ってあらわれます。そのメカニズムは完璧です。それは「何でもそつなくこなす」熟練した建築家によって創造されました。残念ながら操作をする者が未熟だったり、無能なこともありますが、訓練と決断力によってそうした欠点は克服できます。

16

もし愛を必要とするなら、愛を得る唯一の手段が愛を与えることだということを理解してください。与えれば与えるほど手に入るということ、愛を与える唯一の方法は、磁石のように他人を引きつけられるようになるまで自分自身を愛で満たすことだと理解してもらいたいのです。その方法は別のレッスンで説明しました。

17

もっとも偉大なスピリチュアルな真実を、いわゆる人生の瑣末《さまつ》な物事に適用する術を学んだ人は、自分の問題を解決する秘訣を発見したのです。偉大な人物や自然の風景、アイディア、出来事に触れると、必ず人は元気づけられ、思慮深くなります。リンカーンは彼に近づくすべての人々の中に、偉大な山を前にした時のような畏怖の感情を呼び起こしたと言われています。こうした感覚は、人が永遠のもの、すなわち真実の力に触れる時もっとも強く感じられます。

18

これらの原理を実際に試したことがある人――自分の人生で証明した人――の話を聞くと、インスピレーションが掻き立てられることがあります。今日、わたしはアンドリュース氏から一通の手紙をもらいました。「親愛なる友よ、『ノーチラス』三月号にわたしの体験が掲載されています。ご自由に参照や引用をしてくださって結構です」

この後、次のような文面がつづられていました。

19

今は亡きT・W・マーシー医師がわたしの母親に次のように言ったのは、わたしが一三歳の頃でした。「まったく治る見込みはありませんね、アンドリュースさん。わたしも手を尽くした末に同じようにして幼い息子を失くしました。以来、こうしたケースを研究することに力を注いできたのですが、息子さんが良くなるチャンスはまったくありません」

20

母親は彼に向かって言いました。「先生、もし彼があなたの息子さんだったらどうします?」「戦う息があるうちは、とことん戦うでしょうね」と彼は答えました。

21

それが波乱に満ちた長期にわたる戦いの始まりでした。医師たちはみな、治る見込みはないと口をそろえて言いましたが、最善を尽くしてわたしたちを励まし、元気づけてくれました。

22

けれども、最終的に勝利の日が訪れました。幼い頃、肢体が不自由だったわたしは四つんばいで這い回り、まっすぐ立って歩ける頑丈な大人に成長したのです。

23

あなたがその理由を知りたがっているのはわかります。できるだけ簡単にお教えしましょう。

24

わたしは自分にもっとも必要な性質を盛り込んだ肯定的な暗示をあみだし、繰り返し自分に言い聞かせたのです。「わたしは非の打ち所のない全体で、力強く、愛と調和に溢れ、幸せだ」。わたしはいつも同じこの肯定的な思いを心に保ち続けました。そのうちに、夜中目覚めた時、その思いを心の中で反復している自分に気づくまでになったのです。それは夜わたしの唇から発せられる最後の言葉であり、朝発せられる最初の言葉でした。

25

わたしはそれを自分自身に向かって言い聞かせただけではなく、それを必要とする他人のためにも唱えました。その点を強調したいのです。あなたが自分自身のために欲することは何でも他人のために唱えてもらいたいのです。そうすれば、両者に恩恵をもたらすでしょう。わたしたちは自分で蒔いた種の作物を収穫します。愛と健康の考えを送信すれば、ブーメランのように、わたしたちのところに戻ってきます。でも、恐れ、心配、嫉妬、怒り、憎しみなどの考えを送信すれば、その結果を人生で刈り取ることになるでしょう。

26

人間は七年ごとに生まれ変わるとよく言われていました。しかし、現在、一部の科学者はこう断言します。「わたしたちは一一ヶ月ごとに生まれ変わる」。ですから、わたしたちは実際には年齢一一ヶ月にすぎないのです。年々欠点を修復すれば、自分自身のほか、誰も自分を責める者はいなくなります。

27

人間は、自分が考えたり思ったりするすべてを足し合わせたものに等しいと言えます。問題は、どうしたら悪を捨て善の考えだけを抱けるかということになります。最初は悪の考えがやってくるのを防ぐことはできませんが、そうした考えを慎むことはできます。ただ一つの方法は忘れること――つまり他の何かで取って代わらせるのです。その時、既成の肯定的暗示が役に立ちます。

28

怒り、嫉妬、恐怖、心配などの考えが忍び込んできたら、すぐに肯定の言葉を唱えてください。闇と戦う方法は光を用いることです。寒さと戦うには熱を、悪を克服するには善を持ってすればいいのです。わたし自身について言うなら、否定の中にはいかなる助けも見いだせませんでした。善を肯定すれば、悪は消え去ります。

敬具

フレデリック・エリアス・アンドリュース

一九一七年三月七日

29

もし必要なら、この手紙を利用するといいでしょう。手を加える必要なく、そのまま使えるでしょう。黙って心の中に取り込み、潜在意識に染み込ませるのです。そうすれば、電車、オフィス、家庭どこでも利用できます。それがスピリチュアルな方法の利点です。スピリットはあまねく行き渡っており、常に準備ができています。必要なのは、その全能性を正しく認識し、その恩恵にあずかりたいと心から願うことだけなのです。

30

わたしたちの心の姿勢がパワー、勇気、親切心、共感といったもので彩られていれば、環境がそれらの思いに対応する状態を映し出すことに気づくでしょう。もし心がひ弱で批判的で、妬み深く、破壊的であるなら、環境がそうした思いに対応する状態を映し出します。

31

思考は原因、状態は結果です。ここに善悪の起源の説明があります。思考は創造的で、自動的にその対象と関わります。これが宇宙の法則、引き寄せの法則、原因と結果の法則です。この法則の認知と適用が始まりと終わりの両方を決めます。この法則に導かれて、どの時代の人間も祈りの力を信じるようになったのです。聖書はそれを「汝が信じるままに、それをあらしめよ」と簡潔に表現しています。

32

今週は、植物を思い浮かべましょう。あなたがもっとも好んでいる花を一つ選び、それが種から開花するまでを見ていきます。まず小さな種を蒔き、水をやって世話をしてください。朝日が直接あたるところに蒔いたほうがいいでしょう。種が芽吹くところを見てください。今やそれは生き物です。生存手段を探し始めています。土中に張った根を見てください。あらゆる方向に伸びています。それらが分裂を繰り返す生きた細胞で、すぐに数百万の数に達することや、各細胞が知性を持ち、自分が何を欲しそれをどうやって得ればいいかを知っていることを思い出してください。茎が土の表面を突き抜けてまっすぐ上方に伸びているのを見てください。それが枝分かれして小枝を作るのを見てください。それぞれの小枝がいかに完璧で対称的に伸びているかを見てください。葉が形成され始め、次に小さな茎が伸びて、それぞれの先に蕾ができるのを見てください。やがて、蕾が開花し始め、あなたの大好きな花があらわれてきます。今や、集中すれば花の香りも嗅ぐことができるでしょう。あなたが思い描いた美しい創造物がやさしいそよ風に揺れ、芳しい香りを漂わせます。

33

イメージを鮮明に、そして完璧にすることができるようになれば、あなたは物事の核心に入りこめるようになるでしょう。物事がありのままに見えるようになるからです。あなたは集中する方法を学んでいるのです。集中する対象が健康、大好きな花、理想、込み入ったビジネスの企画、その他の人生の問題、何であってもそのプロセスは同じです。

34

あらゆる成功は、目指す対象に粘り強く集中することによって成し遂げられてきたのです。

思考は人生を意味する。なぜなら、考えない人は真の意味で生きていないからだ。思考が人間を作るのだ。

——A・B・オールコット

第10週

思考は宇宙と個人をつなぐリンク

この章で紹介する考えを徹底的に理解すれば、何事も明確な原因なくして起こらないということを学べます。そうすれば、正確な知識に則って計画を練ることが可能になるでしょう。そして、適切な原因となる思考を働かせることによって、どんな状況をも制御する方法を知るようになるでしょう。思い通りに勝てるようになれば、その理由が正確にわかるようになるのです。

原因と結果の明確な知識がない普通の人間は気分や感情に支配されます。そういう人はもっぱら自分の行為を正当化するために考えます。ビジネスマンとして失敗すれば、運に見放された、音楽が嫌いなら、音楽は金のかかる贅沢だと言います。事務的な仕事で成績を上げられなければ、屋外作業ならもっと成功できたのにと言います。友達がいないと、個性が強すぎて評価されないんだと言います。

そういう人たちは、問題を徹底して考えません。つまり、あらゆる結果が特定の明確な原因によってもたらされていることがわからないのです。代わりに解釈や言い訳で自分を慰めようとします。自分を防衛することしか考えないのです。

逆に、妥当な理由なくしていかなる結果もないと理解している人間は、私情を交えずに考えます。結果のいかんにかかわらず、根本的な事実を掘り下げるのです。そのような人は、たとえどこに導かれようと真実をありのままに見ます。問題をあますところなく見つめ、必要条件を完全に満たすのです。そうすれば世界は友情、名誉、愛、承認を持ってそれに応えます。

豊かさは宇宙の自然な法則です。この法則の証拠は歴然としています。四方八方にそれが見えます。自然はどこでも気前がよく物惜しみせず、贅沢です。どんな被造物の中にも、節約は認められません。無数の木々や花々、動植物、再生産のプロセスが延々と繰り返される膨大なしくみ、すべてが自然の気前の良さを示しています。自然が万人に行き渡るほどの豊かさを持っていることは明らかですが、多くの人がその豊かさにあずかれないでいることも明らかです。彼らは根源物質の普遍性を認識するに至っていないのです。心がわたしたちを望むものに結びつけてくれる能動的な原理であることもわかっていません。

2

すべての富はパワーの子どもです。財産はパワーをもたらす時にのみ価値があります。出来事はパワーに影響を及ぼす時にのみ重要です。万物はパワーの特定の形と程度をあらわします。

3

電気、化学的親和性、重力を支配する法則によって示されているような原因と結果の知識は、大胆に計画し、恐れることなく実行することを可能にします。これらの法則は自然の法則と呼ばれます。なぜなら、物理的世界を司っているからです。でも、すべてのパワーが物理的なものだとは限りません。精神的パワーもありますし、道徳的でスピリチュアルなパワーもあります。

4

スピリチュアル・パワーが優れているのは、より高い次元に存在しているからです。スピリチュアル・パワーのおかげで人間は、これらの素晴らしい自然の力を、何千人分もの仕事をこなすために活用できる法則を発見できたのです。それは時間と空間を消滅させ、重力の法則を克服する法則の発見に導きました。この法則の働きは、ヘンリー・ドラモンド（一八五一年〜一八九七年。一九世紀後半に活躍したエディンバラ大学教授。自然科学と宗教に興味を抱いた）の言うように、生命との接触に左右されます。

5

「わたしたちが知っている物質世界には、有機的なものと無機的なものが存在します。鉱物界の無機物は完全に動植物の世界から切り離されています。有機物と無機物をつなぐ通路は錬金術的に封鎖されています。これらの境界はいまだかつて越えられたことはありません。どんな物質の変化も、環境の修正も、化学も、電気も、どんな形態のエネルギーや進化も、鉱物の世界の一つの原子に生命を吹き込むことはできません」

6

「それらの死んだ原子に生命の特徴を授けるには、その死の世界になんらかの生き物を降下させるしかありません。生命とのそうした接触がなければ、それらは永遠に無機的な領域にとどまります。生物発生の教義（生命は生命からのみ生まれる）は全面的に勝利するとハクスレーは言います。チンダルは次のように言わざるをえませんでした。『今日の生命が先行する生命とはかかわりなく出現したことを証明する、信頼しうる証拠は一片もないと確信する』

7

「物理の法則は無機物を説明するかもしれません。生物学は有機物の発達を説明するかもしれません。しかし、無機物と有機物の接点について、科学は沈黙しています。自然界とスピリチュアルな世界との間には、同様な通路が存在します。この通路は自然の側からはぴったりと封鎖されています。扉が閉じられているのです。誰もそれを開けることはできません。有機的変化、精神的エネルギー、道徳的努力、さらにはどんな進化も、人間をスピリチュアルな世界に入り込ませることはできません」

8

けれども、植物が鉱物の世界に深く根を下ろし生命の神秘に触れさせるように、宇宙精神は人間の心に深く根を下ろし、驚異的とも言える不思議な素晴らしい性質を授けます。産業界や貿易の世界、あるいは芸術の世界で成功した人たちは、そうしたプロセスの恩恵で成功できたのです。

9

思考は無限なるものと有限なるもの、宇宙と個人をつなぐリンクです。有機的なものと無機的なものとの間に通り抜けられないバリアがあること、物質が花開く方法はただ一つ、生命を吹き込まれることだということをわたしたちは見てきました。種が鉱物の世界の中で発芽し始めると、死んだ物体が生きかえり、千本もの目に見えない指があらたに誕生したものに合った環境の織物を織り始めます。成長の法則が動き出すと、最終的に百合が出現するまで、そのプロセスが続きます。「栄華をきわめた時のソロモンでさえこの花の一つほどにも着飾ってはいなかった」のです。

10

万物を生み出す宇宙精神の目に見えない根源物質の中に、思考は落ち込みます。それが根を張ると、成長の法則が働き出し、わたしたちの環境となってあらわれるのです。

11

思考はダイナミックなエネルギーの能動的な生き生きとした形態です。そのエネルギーは思考の対象を、目に見えない世界から目に見える客観的世界へと引き出します。それが、万物があらわれる法則です。それはあなたを秘密の王座へと導き、「万物の統治権を与える」マスター・キーなのです。この法則を理解すれば、あなたは「法令を定め、施行する」ことができます。

12

他にありようはありません。もしわたしたちが知っている宇宙の魂が普遍的なスピリットなら、宇宙は普遍的なスピリットが自らのために作った状態にほかなりません。わたしたちは個人化されたスピリットにほかならず、まったく同じ方法で成長するための状態を作り出しています。

13

こうした創造のパワーを発揮させるにはスピリットないし心の潜在力を認識しなければなりません。創造を進化と混同してはなりません。創造とは客観的世界に存在しないものを存在させることです。進化とはすでに存在しているものに含まれる潜在性が開花するだけです。

14

ただし、わたしたちに開かれているこの素晴らしい可能性を花開かせるのは、わたしたち自身ではないことを覚えておかなくてはなりません。偉大な教師はこう言いました。「業《わざ》をなすのはわたしではない。わたしの中に住む父が業をなすのだ」。わたしたちも同じ立場を取らなければなりません。わたしたちは潜在性の開花になんら手を貸すことはできず、その法則にただ従うだけです。そうすれば、万物を生み出す心が結果をもたらします。

15

無限のエネルギーはその知性を通して特定の目的ないし結果を生み出すことができます。その知性を人間が生み出さなければならないと考えるところに、今日の重大な過ちがあります。その種のことは何も必要ありません。必要なものを顕現させる方法や手段を見いだしたかったら、宇宙精神に頼ればいいのです。けれども、わたしたちは完璧な理想像を思い描く必要があります。

16

電気を司る法則を理解したおかげで、わたしたちは大変便利な生活を送り、多くの慰めを得てきました。さまざまなメッセージが世界を駆け巡り、重々しい機械がその命令を実行し、電気がほぼ全世界を明るく照らしていることをわたしたちは知っています。けれども、意識的に、あるいは知らずに、その法則を無視し、正しく絶縁されていない電線に触れれば、不快な結果どころか大惨事を招きかねないこともわかっています。目に見えない世界を司る法則を理解し損ねると、同様な結果を招きます。多くの人がいつもその結果に苦しんでいるのです。

17

因果の法則は原因と結果という対極的なものの相互作用によって成り立っているため、その両極の間に回路を形成する必要があると説明されてきました。わたしたちがその法則と調和して働かない限り、その回路は形成できません。その法則がどんなものであるか知らずに、どうやって調和したらいいでしょう？　その法則がどんなものかを知るには、研究と観察に頼るしかありません。

18

その法則の働きはいたるところに見られます。自然のすべてが絶え間なく黙々と成長することによって、その法則が働いていることを証明しています。成長があるところ、必ず命があります。命があるところには必ず調和があります。それゆえ、命あるすべてのものは、自分を完璧に表現するために必要な状態や備品を絶え間なく引き寄せているのです。

19

あなたの思考が自然の創造原理に調和していれば、無限の心に同調し、回路を形成するので、から回りすることはありません。けれども、無限の心と同調しない考えを抱くこともありえます。その場合、回路は形成されません。その結果は、どうなるのでしょうか？　発電機が電気を起こしている時回路が切断されたら、どうなるでしょう？　発電機が止まります。

20

もしあなたが無限の心と同調しない考えを抱いたために、原因と結果の間に回路ができなかったら、まったく同じことになります。あなたは孤立します。その考えはあなたを困らせ、心配させ、最終的に病を、そしてひょっとすれば死をもたらします。医師は必ずしもそのようには診断しないかもしれません。さまざまな病気のために作られたもっともらしい名称で呼ぶかもしれません。それらの病気は間違った思考の結果ですが、原因は同じです。

21

建設的思考は創造的ですが、創造的思考は調和が取れていなければならず、すべての破壊的ないし競合的思考を排斥《はいせき》します。

22

知恵、強さ、勇気、すべての調和の取れた状態はパワーの結果です。すべてのパワーが内側からやってくることをわたしたちは見てきました。同様に、すべての欠乏、制限、逆境は弱さの結果です。弱さはパワーの欠如にほかなりません。それはどこからもやってきません。無なのです。ですから、治療法はパワーを育むことなのです。パワーは鍛錬によって育むことができます。

23

今週のエクササイズはこれまで得た知識を応用するものです。豊かさは空からは降ってきませんし、あなたの膝の上に落ちてきたりもしません。引き寄せの法則を意識的に自覚し、特定の明確な目的のためにそれを働かせたいと思い、その目的を実行すると決断することで、あなたの願望は自然の移動の法則によって物質化されるのです。もしあなたがビジネスをしていれば、販路を拡大し、発展させることでしょう。今までにない新しい流通経路を開いてくれるかもしれません。法則が十分に働くようになれば、あなたの求めているものが、あなたを求めていることに気づくでしょう。

24

今週は、普段あなたが座っているところから見える壁の空きスペースやその他の適当な場所を選び、心の中で、そこに一五センチほどの黒い水平線を書いてください。書いたら、実際にそれが壁に書かれているかのようにはっきりと見る努力をしてください。次に、水平線の両端から同じ方向に向かって、水平線と同じ長さの二本の垂直線を心の中で描いてください。それからもう一本の水平線で垂直線の端と端とをつなぎます。これで正方形になったはずです。その正方形を完璧に見る努力をしてください。それができたら、正方形に内接する一つの円を描きます。そうしたら、円の中心に点を置き、二五センチぐらい自分の方に引き寄せてください。正方形をベースにした円錐形ができあがったはずです。輪郭が黒であることを思い出してください。それを白、赤、黄色に変えてみてください。

25

それができるようになれば、あなたは素晴らしい進歩を遂げているのです。まもなく、心に浮かぶどんな問題にも集中できるようになるでしょう。

目標や目的をしっかりと心に保てるようになれば、それが抽出され、手に触れ目に見える形を取るようになるのは、時間の問題にすぎない。

――リリアン・ホワイティング

生き生きとした思考はそれを描くパワーをもたらします。その源の深さに応じて、それを投射する力が発揮されるのです。

――エマソン

第11週

帰納的推理と客観的な心

あなたの人生は法則――実際に存在する不変の原理――によって司られています。法則はすべての場所で常に働いています。揺るぎない法則があらゆる人間の行為の根底に横たわっているのです。ですから巨大企業を牛耳る人たちは、どの程度の人間が自社製品に反応するかを驚くべき正確さで予測できるのです。けれども、あらゆる結果は一つの原因の結果であり、その結果が原因で別の結果を生み、それがさらに別の原因を生み出します。ですから、引き寄せの法則を働かせる時、良い方にも悪い方にも無限の可能性を持ちうる因果の列車を出発させようとしているのだということを念頭に置いておかなければなりません。

こんなセリフをよく聞きます。「非常につらい状況に立たされているんです。考え方が悪かったせいだとは思えません。そんな結果を招くような考えを抱いたことはありませんから」。心の世界では、類が友を呼ぶということをわたしたちはなかなか覚えていられません。わたしたちが抱く思いは特定の友情や親交をもたらし、それらがさまざまな状態や環境を生み出します。そして時にわたしたちはその状態に不満を漏らすのです。

1

帰納的推理《きのうてきすいり》は、わたしたちがたくさんの個別の例を比較して、すべてを生み出す共通因子を探り出す客観精神のプロセスです。

2

帰納法は諸事実を比較することによって行います。画期的な人類の進歩を記す法則の発見に導いたのは、自然を研究するこの手法なのです。

3

それは迷信と知性を分ける境界線であり、人間の生活から不確かさや気まぐれを排除し、法則、理性、確実性で置き換えてきました。

4

それはこれまでのレッスンで述べてきた「門番」なのです。

5

帰納的推理によって、わたしたちが五感で慣れ親しんでいる世界は根本的に変えられてしまいました。肉眼では太陽が地球の周りを回っているように見えますが、実際には地球が太陽の周囲を回っていることが明らかにされました。一見平らに見える地球は球体だとわかり、動かないように見える物質も活発な要素に還元できることが判明しました。さらに望遠鏡や顕微鏡を向ける先々で、宇宙は力と動きと生命に満ちた姿をあらわしたのです。では、人体や社会、宇宙といった組織はどのようにしてその秩序を維持しているのでしょう?

6

同じ極や力はお互いに反発し合います。星や人間や力が適度な距離を保っているのは、そうした反発力のせいだと言っていいでしょう。一方、価値観が異なる人間同士がパートナーを組むように、反対の極はお互いを引きつけあいます。一般的な交換では、余剰分を需要に回すのです。

7

ある色をしばらく見つめた後に白い紙を見ると、補色が残像として現われるように、広い意味での欲求や願望も行動を誘発し、導き、決定します。

8

その原理を意識し、それに従って行動するのは、わたしたちの特権です。キュビエ（一七六九年〜一八三二年。フランスの博物学者）は絶滅種の動物に属する一本の歯を見つけました。この歯は、その機能を果たすために身体を必要とします。それがどんな身体を必要とするかを明らかにすることで、彼はその動物の輪郭を正確に再構成することができたのです。

9

天王星の動きには摂動（ケプラーの法則からずれる動き）が観測されます。ルベリエ（一八一一年〜一八七七年。フランスの数学者、天文学者）は、そのずれを計算し、新たな惑星の存在を予言し、海王星の発見に導きました。

10

動物の本能的欲求、キュビエの知的欲求、ルベリエの自然や心の欲求は似ているので、結果も似ているのです。こちらに存在の思いがあり、あちらに存在があります。法則に則った明確な欲求は、より複雑な自然の働きを生む原因になるのです。

11

わたしたちは五感を拡大する精密な観察機器によって自然を観察し、綿密なデータを収集してきました。そのことによって、外界との親密な深い接触を意識するようになったのです。わたしたちの欲求や目的は、この広大な組織の円満な働きと一致するようになりました。

12

個人の利益を守りたかったら、自分だけの力に頼るのではなく、国家権力の力を借りなければなりません。同じように、自然という共和国の市民として生きているわたしたちが、属国の脅威からわが身を守りたければ、すぐれた権力と同盟関係を結ぶのが一番なのです。

13

もしプラトンが写真家の助けを借りて写真を見ることができていたなら、あるいは、帰納法によって人間が行うことの似たような例をたくさん目撃していたら、自分の師の知的な助産術を思い出し、すべての手仕事や機械的な仕事や反復作業を自然のパワーに委ね、マインド・パワーによって欲求を自由に満たし、求めれば与えられる土地を心に思い描いたかもしれません。

14

その土地がどんなに遠くにあるように見えようと、帰納法はその土地に向かっての大きな一歩であることを人間に教えました。そして、さまざまな恩恵をもたらしてきました。

15

帰納法はまた、集中力や能力を強化する助けにもなり、宇宙的な問題だけではなく個人的な問題に対しても、間違いのない解決策をもたらします。

16

ここに一つの方法があります。その核心は、何かをなそうとするなら、それがすでに達成されていると信じるということです。それは、現実とはイディアの写しであると唱えたプラトンによって伝授された手法です。

17

この考えは、照応の教義（一見つながりがないかに見える物事が目に見えない次元でつながっているという信念）の中で、スウェーデンボルグ（一六八八年～一七七二年。スウェーデンの科学者、神秘思想家）によっても詳しく述べられていますし、ある偉大な師はこう言っています。「祈り求めるものはすべてすでに得られたと信じなさい。そうすれば、そのとおりになるだろう」（マルコの福音書、11章24節）。この一節の時制の違いは明らかです。

18 まず、自分の願望がすでに達成されたと信じなければなりません。実際の達成がその後に続くのです。それが、宇宙精神にわたしたちが望むものを既成事実として刻印することによって、思考の創造的パワーを働かせる簡単な方法なのです。

19 こうしてわたしたちは絶対の次元で考え、状態や限界への配慮をすべて捨て、種を蒔くのです。そうすれば、何の妨げもなく放置された種はやがて芽を出し、果実を実らせます。

20 おさらいしましょう。帰納的推理は客観的精神のプロセスです。わたしたちはそれによってたくさんの個別の例を比較し、それらすべてを生み出す共通因子を見つけます。地球上のすべての文明国家に住む人々は、自分では理解していないなんらかのプロセスによって結果を得て、思いがけない幸運にあずかるとそれを奇跡だとか神秘だと呼びます。これらの結果が達成される法則を確かめるために、わたしたちに理性が与えられているのです。

21

たとえば、自然の中で働く思考のプロセスについて考えてみましょう。自然は常に正しく行動するので、良心と戦うことがありません。臨機《りんき》応変《おうへん》にふるまう以外のふるまい方を知らないのです。自然はどんなことでもたやすく学び、始めたことは何でも要領よくやり遂げます。自分自身と永遠に調和して生きており、自分のすることを反省しませんし、困難も苦労も感じません。

22

この思考の果実は言わば、神の贈り物ですが、それを理解し、感謝している人はほとんどいません。適切な状態の下にある心が所有するこの驚くべきパワーと、そのパワーをあらゆる人間の問題を解決するために活用できるという事実を認識することが、とても重要なのです。

23

現代の科学的用語で語っても、大昔の言葉で語っても、真実は同じです。真実は完璧であるために、一人の人間の言葉でそのすべてを語り尽くすことができないのです。

24

変化、強調、新しい言語、新解釈、風変わりな視点といったものは、一部の人たちが考えているように、真実からの離脱を示す兆候ではありません。逆に、真実が人間の欲求との新しい関わりの中で理解されつつあること、より広く理解され始めていることの証拠なのです。

25

真実は各世代のすべての人たちに、新しい異なった言葉で伝えなければなりません。古代の偉大な師は言いました。「祈り求めるものはすべてすでに得られたと信じなさい。そうすれば、そのとおりになるだろう」。パウロは言いました。「信仰は望まれる物の実体であり、目に見えぬ物の確証である」。現代科学は言います。「引き寄せの法則とは、思考がその対象と関わりをもつ法則です」。以上の発言を分析してみれば、まったく同じ真実を含んでいることがわかります。違うのは表現の仕方だけです。

26

わたしたちは新しい世紀の入り口に立っています。人間が人生の達人になる秘密を学ぶ時がやってきたのです。新しい社会秩序の道が用意されつつあります。これまで夢見られてきたどんなものより素晴らしい道です。現代科学と神学との衝突、比較宗教の研究、新しい社会運動の莫大な力、それらのすべてが新しい秩序の道を切り開こうとしています。それらは時代遅れになって力を失ったもろもろの伝統を破壊してしまったかもしれませんが、価値のあるものは何も失われていません。

27

新たな信仰が生まれたのです。それは新しい秩序を必要とする信仰で、至るところに見られる現在のスピリチュアルな活動の中にあらわれつつあるパワーの意識の中で形を取り始めています。

28

鉱物の中で眠り、野菜の中で呼吸をし、動物の中で動き回り、人間の中で最高度に発達しているスピリットは宇宙意識です。わたしたちは、自分に与えられた統治権を理解し、存在と行為、理論と実践との溝に橋をかけなければなりません。

29

これまでの歴史で最大の発見は文句なく思考の力です。この発見の重要性が一般の意識に到達するまで少し時間がかかりましたが、すでに到達し、あらゆる研究分野で、その発見の重要性が証明されつつあります。

30

思考の創造的パワーの本質は何かとあなたは尋ねるかもしれません。それはアイディアを生み出すことです。アイディアは物質と力を見分け、観察・調査し、分析し、組み合わせることによって自らを具体化します。知性を持った創造的パワーだけができることです。

31

思考は自らの神秘的な深みに入り込むと、もっとも高貴な活動に達します。それが狭い自己の境界を突破し、現在と過去と未来に存在するもののすべてが一つの壮大なシンフォニーに溶け込む永遠の光の領域に達すると、もっとも高尚な活動をするのです。

32

この瞑想のプロセスによってインスピレーションがもたらされます。インスピレーションは創造的知性であり、自然のあらゆる要素、力ないし法則よりまぎれもなく優れています。なぜなら、それらを理解し、修正し、支配し、自分の目的に応用できるからです。つまり、それらを所有できるのです。

33

知恵は理性の夜明けとともに始まります。理性とは、物事の真の意味を把握する力にほかなりません。よって、知恵とは、理性の光に照らし出された奥深い知識だと言えます。そのような知恵は人を謙遜へと導きます。なぜなら、謙遜は知恵の大きな部分を占めているからです。

34

一見不可能なことを成し遂げた人、生涯の夢を実現した人、自分自身を含めすべてを変えた人、そういう人たちを誰でもたくさん知っています。いざというような時にしか発揮できない力をやすやすと発揮する人を見て、わたしたちは時に驚かされてきました。しかし、今やすべてが明らかになっています。必要なのは特定の明確な基本原理とその正しい適用法を理解することだけなのです。

35

今週のエクササイズは、聖書からの引用「祈り求めるものはすべてすでに得られたと信じなさい。そうすれば、そのとおりになるだろう」という言葉に集中します。「求めるものはすべて」という言葉に示されているように、どんな制限も課せられていないことに注意してください。制限があるとすれば、それはわたしたちの考える能力や耐える能力の限界を示しています。

死とは、すべての物質形態が新しい多様性の中で、再生という試練のるつぼに投げ込まれる自然のプロセスにすぎない。

第12週

引き寄せの法則

一二週目のレッスンをお届けします。以下の文章に述べられている考えに集中してください。自分の全注意をそれらに向ければ、それぞれの文章の中に意味の世界を見いだし、それらと調和する別の考えや思考を引き寄せられるようになるでしょう。そしてまもなく、自分が集中している重要な知識の意義を完全に把握するにいたるでしょう。

知識は、わたしたちがそれを使わなければ、何の役にも立ちません。人生を豊かにするためには、知識をうまく活用しなければならないのです。

ほとんどの人が目的を持たずに無駄にしている時間や思考も、明確な目的で正しく使えば、驚異的なことを成し遂げることができます。そのためには、特定の思考に注意を集中し、他の一切の思考を締め出してしまう必要があります。カメラのビューファインダーを覗いたことがあるなら、対象に焦点が合っていないと像がぼやけ、焦点が合うとはっきりすることがわかるでしょう。これは集中することの威力を証明しています。どんな理想を抱こうが、それに集中できなければ、ぼんやりとした像しか結べず、それなりの結果しか得られません。

1

思考の創造的なパワーを科学的に理解すれば、どんな人生の目的も達成できるようになります。

2

考える力は、誰でも共通して持っているものです。人間は考えるから人間なのです。人間の考える力は無限です。だから、創造的パワーには限りがありません。

3

思考はわたしたちが望むものを生み出し、近くに引き寄せる力を持っています。それでもわたしたちは恐れ、不安、失望といったものを追い払うのに苦労します。それらもまたすべて強力な思考の力であり、わたしたちが望むものを絶えず遠ざけてしまいます。そのため、わたしたちはしばしば、一歩進んでは二歩後退したりするのです。

4

後退するのを避ける唯一の方法は前進し続けることです。そのためには常に警戒を怠らないようにしていなければなりません。前進し続けるには三つのステップがあります。どのステップも絶対に欠かせません。第一に自分のパワーについての知識を持つこと。第二に挑戦する勇気、第三にやり遂げる信念を持つことです。

5

以上の三つのステップを確実に踏んでいけば、理想的な企業、理想的な家、理想的な友人、理想的な環境を作ることが可能です。材料やコストの制限はありません。思考は全能であり、必要なすべてのものを収納する根源物質の無限の貯蔵庫を利用する力を持っています。ですから、無尽蔵の資源があなたの思い通りになるのです。

6

けれども、理想は鮮明ではっきりしていなければなりません。今日はこの理想、明日は別の理想、来週はさらに別の理想を持つというようでは、自分の力が分散されるだけで、何事も達成されません。もたらされる結果は無意味なものとなり、無駄にされた素材の混沌とした組み合わせになるでしょう。

7

不幸なことに、多くの人が得るのはそうした結果なのです。原因は明白です。もし鑿《のみ》をふるい大理石の像を作ろうとしている彫刻家が、一五分ごとに完成しようとしている像のイメージを変えたら、結果はどうなるでしょう？　すべての物質の中でもっとも可塑的な、唯一本物の物質である思考を形作る時にも同じことが言えるのです。

8

そうした優柔不断の否定的な思考の結果が、物質的な富の損失の中にしばしば見受けられます。長年、苦労と努力を重ね、手に入れたと思った富があっという間に消滅します。そんな時、お金や財産が頼りにならないものであることが判明します。逆に、創造的な思考の力についての実用的な知識を身につけることこそ、真の財産になるのです。

9

自分が持てるただ一つの本物のパワーは、自分自身を不変の神聖な原理に合わせるパワーだけだということを学ぶまで、その実用的な知識は手に入りません。あなたは無限のものを変えることはできませんが、自然の法則を理解することはできます。それを理解すれば、自らの考える能力を全能である宇宙の思考に合わせる能力が自分にあることを認識できるようになります。その全能の神とどれだけ協調できるかが、あなたの成功の度合いを決めるのです。

10

思考の力は多少なりとも魅力的な、たくさんの模造品を持っています。その結果は助けになるどころか、有害です。

11

もちろん、不安や恐れ、その他の否定的思考はすべて、そうした性格の作物を生み出します。その種の思考を抱く人々は、自らが蒔いた作物を刈り取ることを余儀なくされます。

12

降神術の集会で得た証拠に飛びつく、サイキック現象を好む人たちがいます。彼らは批判精神をかなぐり捨てて、サイキックな世界にどっぷりと浸かります。それが自分の中に否定性や受動性を植えつけ、ひいては生き生きとした思考を生み出すのに欠かせない生命力を奪ってしまうことが理解できないのでしょう。

13

一方、いわゆる達人が生み出す物質化の現象にパワーの源を見るヒンドゥーの行者の崇拝者がいます。彼らは、意志を引っ込めればすぐに形がしぼみ、それらを形作っている波動の力が消え去ることを忘れているか、全然わかっていないようです。

14

テレパシー(あるいは思考伝達)はかなりの注目を浴びてきましたが、受け取る側に否定的な精神状態を要求するので、有害だと言わざるをえません。

15

多くの場合、他人を操作する催眠術は、被験者だけではなく施術者にとってもきわめて危険です。精神世界を司っている法則に精通している人は誰も、他人の意志を支配しようなどとは考えません。なぜなら、そんなことをすれば、徐々にですが(確実に)自分のパワーを捨ててしまうことになるからです。

16

こうした倒錯《とうさく》のすべては一時的な満足をもたらし、一部の人を魅了します。しかし、使えば使うほど増大する内面世界のパワーを理解することの方が、はるかに魅力的です。それは逃げることがありません。過去の過ちや間違った思考の結果を癒す治療薬として働くだけではなく、あらゆる種類の危険からわたしたちを守る予防薬にもなります。おまけに、新しい状態や環境を築くための創造力にもなります。

17

思考はその対象と関わり、心の中で思ったことに対応するものを物質世界に生み出す性質があります。あらゆる思考は真実の芽を持っています。そう認識することが絶対に必要です。成長の法則が善を顕現させるのはそのためです。なぜなら、善だけが永遠の力を授与できるからです。

18

思考に対象と関わるダイナミックな力を与え、いかなる逆境をも乗り越えることを可能にする原理、それが引き寄せの法則です。それは愛の別名であり、万物に内在する永遠の根本原理です。あらゆる哲学思想、あらゆる宗教、あらゆる科学にも内在しています。愛の法則から逃れる方法はありません。それは思考に生命力を与える感情です。感情とは願望であり、願望とは愛なのです。愛の染みこんだ思考は無敵です。

19

思考の力が理解されているところではどこでも、引き寄せの法則が強調されます。宇宙精神は単なる知性ではなく、物質です。この物質が引き寄せの法則によって電子を結びつけ、原子を形作らせる引力なのです。次に原子は同じ法則によって寄り集まり、分子を形成します。分子は客観的な形態を取ります。こうして、愛の法則が、原子だけではなく、世界や宇宙、想像が生み出すもの、すべての現象の背後で働く創造する力であることがわかるのです。

20

あらゆる時代の人間は、自分たちの要望や願望に応えるために出来事を操作する存在がいるに違いないと信じてきました。人間にそう信じさせてきたのはこの驚くべき引き寄せの法則の働きなのです。

21

引き寄せの法則と呼ばれる抵抗しがたい力を形成するのは、思考と愛の組み合わせです。すべての自然の法則は抵抗しがたいものです。重力の法則、電気の法則、その他いずれの法則も数学的な正確さをもって働きます。バリエーションはありません。不完全でありうるのは法則が実行に移される回路だけです。橋が落ちても、わたしたちはそれを一風変わった重力の法則のせいにしたりしません。停電しても、電気を司る法則があてにならないと結論づけたりしません。引き寄せの法則も同じです。ある出来事がその法則に反するように思えても、法則自体が誤っていると結論してはなりません。その法則をもう少し理解する必要があると結論すべきなのです。数学の難しい問題を解くのが、必ずしも簡単にいかないのと同じ理由です。

22

物事は外部の行動や出来事として現れる前に、心の世界やスピリチュアルな世界で生み出されます。わたしたちは今日、思考の力を操る簡単なプロセスによって、将来（ひょっとしたら明日）わたしたちの人生に現われるかもしれない出来事を生み出す手助けをします。経験に基づいた願望は引き寄せの法則を作動させるもっとも有力な手段です。

23

人間は巧みに構成されており、考える時にはまず、考える力を得るための道具を生み出さなければなりません。心が新しい観念を理解するには、脳細胞がそれを受け取る準備を整えなければなりません。わたしたちが真新しい観念を受け取り、評価するのが難しいのはそのためです。新しい観念を受け取れる脳細胞を持たないため、疑い深いのです。

24

ですから、たとえ引き寄せの法則の全能性や、その法則を働かせる科学的方法に精通していなくても、今すぐ無限のパワーを理解できる脳細胞を作ってください。それは集中することによって作ることができます。

25

集中力を養うには意志と沈黙が必要です。集中力は深い思考や賢いスピーチを可能にし、潜在能力を開花させます。

26

すべてのパワーが発展する源は潜在意識ですが、あなたが潜在意識の全能のパワーに触れるのは沈黙の中においてです。

27

知恵、パワー、永遠の成功を求める者はそれらを内部にしか見いだせません。それらは成長する時を待っているのです。沈黙は非常にシンプルで簡単に達成できると安易に考える人もいるかもしれません。しかし、絶対的な沈黙は、わたしたちが神と接触できる唯一の場所であるということを覚えておいてもらいたいのです。

28

今週は、これまでと同じ部屋に行って、同じ椅子に座り、同じ姿勢を取ってください。精神的にも身体的にも、リラックスして緊張を手放してください。いつもそうするようにしてください。どんな精神的な仕事も緊張感の下でやるのは避けてください。筋肉にも神経にも緊張がなく、完全にくつろいでいることを確認して欲しいのです。そして、全能の神と一体であることを自覚してください。このパワーに触れ、あなたの考える能力が、宇宙精神に働きかけ、それを顕在化させる能力であることを心の底から理解し、感謝し、認識してください。それがすべての必要条件を満たすことを自覚してください。あなたが他のすべての人間と同じ潜在能力を持っていることを認識してください。なぜなら、一人一人の人間は宇宙精神の多様な表現にすぎないからです。全員が全体の一部なのです。種類や質に何の違いもありません。あるのは規模の差だけです。

思考は表現されえないものを考えることはできません。それを最初に述べた者は提案者にすぎないかもしれませんが、実践する者が現れるでしょう。

――ウィルソン

第13週

夢は実現する

自然科学は驚くべき発明の時代を作り上げた原動力ですが、現在、霊的な科学は、誰も予測できないような可能性を秘めた仕事を始めています。

霊的な科学はこれまで、無学の人、迷信家、神秘主義者たちの溜まり場でした。しかし、人々は今、明確な手法や証明された事実にしか興味を抱かなくなっています。

思考がスピリチュアルなプロセスであることをわたしたちは認識するに至りました。ビジョンや想像が行為や出来事に先行すること、つまり夢想家の夢が実現する日がやってきたことを認識するに至ったのです。次に紹介するハーバート・カウフマン氏（一八七八年～一九四七年。アメリカの作家）の文章は、ビジョンと出来事のつながりに注目しています。

「彼らは偉大な建築家です。彼らのビジョンは魂の内部にあります。彼らは疑惑のベールや霧を透かして未来を見通します。ベルトをかけられた歯車、鋼鉄の脚、調整用のネジが、魔法の織物を織るはた織り機の杼《ひ》です。帝国の建設者である彼らは王冠よりも大きな冠、玉座よりも高い座を求めて戦ってきました。あなたの家は夢想家が発見した土地の上に建てられます。壁にかかった絵が夢想家の魂が見たビジョンです。

彼らは選ばれた少数者——道を切り開く人——です。壁が崩れ、帝国が没落し、海から押し寄せた高波が要塞を打ち砕きます。腐敗した国々が時の大枝から落ち、夢想家が作ったものだけが生き残ります」

この章は夢想家の夢がなぜ実現するのかを明らかにします。夢想家、発明家、作家、資産家が自分たちの願望を叶える因果の法則を説明します。心に思い描いたものが最終的に自分のものになる法則です。

これまで、例外的な出来事が思わぬ科学的発見に導くという例がたくさんありました。たとえば火山の爆発という例外的な出来事は、地球の内部で絶えず働き、地形を形成する熱の存在を明らかにしたのです。

2

稲妻は、無機物の世界で絶えず変化を生み出そうとしている微妙な力を明らかにしました。現在、めったに聞かれない死語が、かつて国中に広く行き渡っていた言葉の存在を教えてくれるように、シベリアの巨大な歯や地中に眠る化石は過去の進化の記録を伝えるだけではなく、今日、わたしたちが住み着いている丘や谷の起源を語ってくれます。

3

このように珍しい、不思議な、例外的でさえある事実の一般化は、帰納科学のすべての発見を導く羅針盤になってきました。

4

この手法は理性と経験の上に打ち建てられ、迷信や慣例を破壊しました。

5

フランシス・ベーコン卿（一六世紀から一七世紀にかけて活躍したイギリスの哲学者）がこうした研究手法を勧めてからほぼ三百年がたちます。文明国はその繁栄の大部分を、またその知識の貴重な部分を、この研究手法に負っているのです。それはどんな辛らつな皮肉よりも効果的に、狭い偏見やもったいぶった名前をつけられた理論を追放します。また、いかがわしい手を使うことなく、驚くべき実験によって人々の注意を天上から地上へと向けさせます。そして、発明を万人に開かれたものにすることで、人々を刺激します。

6

ベーコンは偉大なギリシャの哲学者たちの精神と目的をしっかりと把握し、観察と実験を重視しました。それによって、天文学の無限の空間や発生学の極微の卵の中で、また地質学の薄暗い時代の中で、驚くべき事実を徐々に明らかにしていったのです。同時にアリストテレスの論理が解明しえなかった秩序を明らかにし、それまで知られていなかった元素の中に、スコラ哲学の弁証法では分離できなかった物質の組み合わせを発見しました。

7

帰納科学は命を引き延ばし、痛みを和らげました。さまざまな病も根絶しました。土壌を肥沃《ひよく》にし、船員たちに新しい安心感を与え、大きな河に父親たちが知らない形の橋をかけました。天から地上へと雷光を誘導し、昼間の明るさで夜を照らしました。人間の視界を広げ、人間の筋力を倍にしました。動きを加速し、距離を縮めました。交流や通信を促進し、ビジネスをやりやすくしました。深海に下降すること、大空に舞い上がること、有毒ガスがある地下を安全に掘ることも可能にしました。

8

それが帰納法の本質と応用範囲です。しかし、帰納科学で人間が達成した成功が大きくなればなるほど、一般的な法則を打ち出す前に、個々の事実を、あらゆる観察手段を駆使して、注意深く、忍耐をもって、正確に観察する必要があるということを人々は痛感するようになります。

9

アメリカの駐仏大使をしていたフランクリンは、雷雲の電気を調べるため、雷が落ちそうな時に絹のハンカチで作った凧をあげ、凧糸に鍵を吊るして電気が走るのを確かめました。彼にならって、発電機から出る火花の動きをあらゆる状況の下で観察するという方法もあります。ガレリオはピサの斜塔から大小二つの鉄球を落として、物体が落下する速度は質量に関係なく一定であるという「落体の法則」を発見しました。すべての物が互いに引き合う「引力」を持っているという「万有引力の法則」を発見したニュートンにインスピレーションを与えたのは、鉄球を落とした後、身を乗り出しすぎてピサの斜塔から落下したガリレオの姿だったと言われています。

10

つまり、真実を重視し着実な進歩を望むなら、歓迎されない事実を無視したり、排除したりする独断的な偏見を許さず、頻繁に起こる現象だけではなくたった一度の現象にも十分な注意を払う、確固とした基盤に立つ科学的枠組みを育てる必要があるのです。

11 観察によって集められるデータはどんどん増え、蓄積された事実は自然の解釈をさまざまな角度から行うことを可能にします。わたしたちが稀有な人間の特殊な才能を尊重するように、自然哲学はもろもろの事実をふるいにかけ、日々の観察によっては説明しえない顕著な事実に特別な重きを置きます。

12 では、特定の人間が尋常ならざるパワーを持っているとわかった時、わたしたちはどうしたらいいのでしょう? まず、そんなパワーを持っているはずがないという見方があります。それは単に情報不足がもたらした認識にすぎないというわけです。なぜなら、説明のつかない不思議な現象などたくさんあるからです。けれども、思考の創造的なパワーに精通した人は、もはやそれらを説明不能とは考えません。

13 第二に、それらは超自然的なものだという見方があります。けれども、自然の法則を理解する科学は、超自然的なものなどないと断言します。あらゆる現象は明確な原因の結果です。その原因は不変の法則ないし原理で、意識的、無意識的にかかわらず変わらぬ正確さで働きます。

14 第三に、それは常識からあまりにかけ離れているため、「触れてはならぬもの」だという考えがあります。

こうした考えは知識の進歩に反対するために使われてきました。コロンブス、ダーウィン、ガリレオ、フルトン（一七八五年～一八一五年。アメリカの技術者、発明家）、エマソンなど、誰であれ、新しいアイディアを提出した人はすべて嘲りや迫害を受けました。そのため、「触れてはならぬ」考えは真剣に考慮されるべきだったのに、されなかったのです。けれども、わたしたちは逆に注目を引くあらゆる事実を入念に考慮すべきです。そうすれば、それが拠って立つ法則を確証するのがもっと容易になるでしょう。

15

思考の創造的パワーがいずれ身体的、精神的、霊的なあらゆる状態や体験を説明するようになるでしょう。

16

思考は心の中の支配的な思いに対応する状態を生み出します。したがって、もしわたしたちが災難を恐れていれば、恐れは強力な思考形態なので、わたしたちは災難を引き寄せる結果を招くでしょう。長年の苦労と努力の結果を頻繁に押し流すのは、こうした思考形態なのです。

17

なんらかの形の物質的富を思念すれば、それが得られるかもしれません。集中的な思考は、わたしたちの願望を実現するために必要な環境を生み出します。ところが、自分が望んでいると思っていたものを手に入れたものの、それらが期待通りの結果をもたらさないことが度々《たびたび》あります。つまり、満足がほんの一時的なものだったり、期待していたこととは正反対だったりするのです。

18

では、適切な手順とはどんなものでしょう？　自分が本当に望むものを手に入れるには、何を考えればいいのでしょう？　あなたやわたしが望むもの、すべての人が望み、探し求めているものは、幸福と調和です。もし本当に幸せになれれば、なんでも手に入るでしょう。もし自分自身が幸せならば、他人も幸せにしてあげられます。

19

けれども、幸せになるには、健康、精神的な強さ、気の合った友人、快適な環境といったものが必要です。また、わたしたちの基本的な欲求を満たすだけではなく、分相応の贅沢と安らぎも必要です。

20

かつてわたしたちは分相応で満足する「虫」であれと教えられました。けれども現代の考えでは、わたしたちは最高のものを得る権利があると教えます。そのためには、「父とわたしは一つ」であること、「父」とは万物がそこから生まれる宇宙精神、創造者、根源物質であるということを知らねばなりません。

21

実はそうした考えこそ、あらゆる哲学や宗教の体系の本質であり、二千年間、教え継がれてきたことなのです。では、それを実生活に生かすにはどうすればいいのでしょう？　どのようにして実際に手に触れられる結果を得たらいいのでしょう?

22

第一に、知識を実行に移さなければなりません。それ以外の方法では何も達成できません。運動選手は生涯にわたって、身体的トレーニングに関する本を読んだり、レッスンを受けたりするかもしれません。でも、実際に運動することによって力を出さないかぎり、いかなる強さも身につかないでしょう。わたしたちは自分が与えたものを受け取るのです。したがって、まず与えなければなりません。そうすれば、それは何倍にもなってわたしたちのところに戻ってきます。与えることは単なる精神的なプロセスです。なぜなら思考は原因で、状態が結果だからです。勇気を奮い起こさせる思考や健康的な思考をしていれば、それに見合う結果を生み出す原因が働き始めるのです。

23

思考はスピリチュアルな活動なので、創造的です。しかし、誤解しないでください。思考は意識して体系的かつ建設的に用いないかぎり、何ものも生み出しません。ここに、ただの気晴らしにすぎない無駄な思考と、ほぼ無限の達成を可能にする建設的な思考との違いがあります。

24

わたしたちが得るすべてのものは引き寄せの法則によってわたしたちにもたらされることを見てきました。幸せな考えは不幸せな意識の中には存在できません。ですから、不幸な人は意識を変えなければなりません。

意識が変われば、それに応じて、状況が少しずつ変わり始めます。

25

わたしたちはイメージもしくは理念を抱くことによって、一つの思考を、万物を生み出す根源物質に投影します。ところが、この物質が宇宙に偏在しているだけではなく、全知全能だという事実を評価できないため、自分の欲求を物質化する方法のことまであれこれ考えてしまいます。それが失敗（あらゆる失敗）の原因なのです。

26

わたしたちは宇宙精神の無限のパワーと知恵を認識することによって、その恩恵にあずかることができます。そのようにして、無限なるものがわたしたちの願望を実現させる回路になるのです。それは認識が願望の実現をもたらすことを意味します。今週のエクササイズは、この原理を活用し、あなたが全体の一部であるという事実と、部分は種類と質において全体と同じでなければならないという事実を認識してください。ただ一つ違いがありうるとすれば、それは程度の違いです。

27

思考するあなたの「わたし」――あるいはスピリット――は偉大なる全体の欠かせない一部です。部分は本質も性質も種類も全体と同じです。創造主は自分と異なるものは何も作り出せません。こうした途方もない事実があなたの意識に浸透し始めると、あなたは「父とわたしは一つである」と言うことができるようになります。そして、美や威厳を心ゆくまで味わい、どんな超越的な機会が自分に与えられてきたかを理解できるようになります。

真の興味を発見する知恵を　お授けください。
知恵が命じることを実行する決断力を　お与えください。

――フランクリン

第14週

潜在意識は宇宙精神と一つである

これまでの学習で、思考がスピリチュアルな活動であり、それゆえ、創造する力を授けられていることを見てきました。これは一部の思考が創造的だということではありません。すべての思考がそうなのです。これとまったく同じ原理が否定的に働くこともありえます。

意識と潜在意識は一つの心と結びついた活動の二つの側面にほかなりません。潜在意識と意識との関係は風向計と大気との関係に似ています。大気のちょっとした圧力が風向計を動かすように、意識が抱くちょっとした思考が潜在意識の内部に活動を生み出します。活動の深さはその思考を特徴づける感情の深さに、活動の強さは思考の強さに比例しています。

もしあなたが不満であっても、不満であることを否定すれば、不満な状態を生み出しているエネルギーを撤退させることになります。根っこからそれを切り取り、生命力を奪うことになるからです。

成長の法則が客観的世界のすべての現象を例外なく取り仕切っていることを思い出してください。したがって、不満な状態を否定しても、即座に変化を生み出すことはないでしょう。植物は根を切られてもしばらくは生き残りますが、徐々に萎み、最終的には消滅します。同じように、不満な状態に思いをめぐらさなければ、徐々にですが確実にそんな状態は消滅します。

わたしたちはこれとはまったく逆のことをする傾向があります。当然、効果もまったく正反対です。大抵の人は不満な状態に故意に集中します。そうすることで、その状態を勢いづかせるエネルギーを与えてしまっているのです。

あらゆる動き、光、熱、色の源である宇宙エネルギーはいかなる限界も持たず、万物の上に君臨しています。この根源物質（宇宙エネルギー）はあらゆるパワー、知恵、知性の源です。

2

この知性を認識することは、心の性質に精通することを意味します。心の性質に精通すれば、心を通して根源物質に働きかけ、人生に調和を生み出せます。

3

これはどんなに学識のある自然科学の教師も試みたことのない、自然科学がまだ手をつけていない分野なのです。事実、この知性の光の最初の光線をこれまでに捉えた自然科学の学派はほとんどありません。知恵が力や物質同様、あらゆるところに偏在していることに自然科学者はまだ気づいていないようです。

4

以上の原理がもし真実だとすれば、なぜわたしたちはその恩恵にあずかれないのでしょう。根本原理が正しいことは明らかなのに、なぜ、適切な結果が得られないのでしょう？　実は得ているのです。ただ、その法則をどれだけ理解し、適切に適用しているかによって、結果が制限されるのです。わたしたちが電気の恩恵を受けられるようになったのは、電気の働きを司る法則を誰かが公式化し、適用方法を示してくれたからです。

5

根本原理が働いていることを知れば、わたしたちの前には膨大な可能性が開かれ、わたしたちはまったく新しい目で周りの環境を見るようになります。

6

心は創造的であり、根源物質に働きかけて、人生にどのような変化でも生み出すことができます。しかし、その創造する力は個人の意識ではなく宇宙精神に端を発しています。宇宙精神はあらゆるエネルギーと物質の源であり、泉です。それに対し、個人の意識はそのエネルギーを分配する回路にすぎません。個人は、現象として顕われるさまざまなエネルギーの組み合わせを宇宙が生み出す手段なのです。

7

科学者が物質を莫大な数の分子に還元してきたのをわたしたちは知っています。これらの分子は原子に、原子は電子に還元されてきました。超合金の端末を含むガラスの真空管の中で電子が発見されたことは、これらの電子が全空間を満たしていることを決定的に示しています。電子がいたるところに存在し、宇宙にあまねく行き渡っていることを示しているのです。電子はあらゆる物質を満たし、わたしたちが空っぽの空間と呼ぶところを全部満たしています。ですから、それは万物を生み出す根源物質なのです。

8

電子は、何の指示もなければ、永遠に電子のままにとどまっているでしょう。けれども、指示されれば、寄り集まって原子や分子を形成します。そのディレクターが心なのです。力の中心を回っているたくさんの電子が原子を構成します。原子は数学的に正確な比率で結びつき、分子を形作ります。分子は寄り集まってさまざまな複合物を形成し、それらが結びついて宇宙を形作ります。

9

知られている中でもっとも軽い原子は水素ですが、それは電子の一七〇〇倍もの重さがあります。水銀の原子は電子の三〇万倍もの重さがあります。電子は純粋に負の電荷を帯びています。光、電気、そして思考といった他のすべての宇宙エネルギーと同じ潜在速度を持っているので、時間も空間も考慮する必要がありません。光の速度が確かめられた方法は興味深いものです。

10

光の速度は、一六七六年にデンマークの天文学者レーマーが、木星の月の食を観測して算出しました。月が木星にもっとも近づいた時、食の間隔が計算より八分三〇秒短くなりました。逆にもっとも離れている時には、八分三〇秒長くなりました。レーマーはその理由を木星からの光が地球に到達するまで一七分かかるからだと結論しました。この計算は以来正しいことが証明され、光の速度は秒速約三〇万キロメーターであるとわかったのです。

11

電子は身体の中に細胞として現われ、解剖学的な身体の中でその機能を果たすに十分な心と知性を備えています。身体のあらゆる部分は細胞から成っており、その一部は独立して働きます。その他の細胞は共同体を作ります。一部は組織を作ることにあたっていますが、身体に必要な分泌物を作ることに従事している細胞群もいます。物質の運搬者、ダメージを修復する外科医、老廃物を運び出す掃除屋といった役割を果たす細胞もいます。好ましくない侵略者や侵入者を絶えず撃墜する準備をしている細胞もいます。

12

こうした細胞はすべて共通の目的で動いています。一つ一つの細胞は一個の有機体であるばかりでなく、必要な任務を果たすために必要な知性も備えています。それはまた、エネルギーを保存し、自らの生命を生き永らえさせるのに十分な知性を授けられています。ですから、十分な栄養を確保しなければならず、摂取する栄養を選択していることがわかっています。

13

細胞は生まれて、自らを再生し、死んで吸収されます。人の健康と生命の維持はこれらの細胞の絶え間ない再生にかかっています。

14

よって、身体を構成するそれぞれの原子に心があることは明らかです。この心は暗示にかかりやすい性質を持っているので、思考によって制御しなければなりません。それがヒーリングの原理なのです。

15

身体のあらゆる細胞に含まれるこの心は潜在意識と呼ばれてきました。意識を持たずに活動するからです。この潜在意識が意識的な心の意志に反応することをわたしたちは見てきました。

16

万物は心に起源を持っています。外観は思考の結果です。物自体はいかなる起源も、永続性も、リアリティも持たないことをわたしたちはわかっています。それらは思考によって生み出されるので、思考によって消去できます。

17

自然科学同様、精神の科学でも、さまざまな実験が行われています。一つ発見があるたびに、人間は可能な目標に向かって一段高いところに押し上げられます。すべての人間は生涯の間に抱く思考の反映です。それが顔、体型、性格、環境に刻印されるのです。

18

すべての結果の背後には原因があります。出発点までその跡を遡れば、それを生み出した創造原理が見いだされるでしょう。現在、この真理は一般に広く受け入れられています。

19

客観的世界はまだ説明されていない目に見えない力によって制御されています。これまでわたしたちはその力を個人化し、神と呼んできました。けれども今、それを存在するすべてに浸透している本質ないし原理——宇宙精神——とみなすことを学びました。

20

無限かつ全能である宇宙精神は思い通りにできる限りない資源を持っています。それが宇宙にあまねく行き渡っていることを思えば、わたしたちはその精神の表現ないし顕現にちがいないと結論せざるをえません。

21

潜在意識の力を理解し、認識すれば、潜在意識と宇宙精神の違いが規模の違いであることがわかるでしょう。その違いは一滴の水と海との違いに似ています。種類も質も同じであり、違うのは規模だけです。

22

潜在意識が宇宙精神と一つであるなら、その活動にいかなる制限も課すことはできません。また、潜在意識が宇宙精神と意識とをつなぐ鎖であるとすれば、意識は潜在意識が実行に移す思考を意図的に提案できるのは明らかです。

23

この原理が理解できれば、祈りがなぜ素晴らしい結果をもたらすのかもわかるはずです。祈りによって獲得される結果は特別な神の摂理によってもたらされるのではありません。逆に、それらは完璧な自然の法則の働きの結果なのです。ですから、それに関し、宗教的なことや神秘的なことは一切ありません。

24

でも、正しく考えるために必要な鍛錬をする準備のできていない人がたくさんいます。間違った思考が失敗をもたらしたことが歴然としているのにそうなのです。

25

実在するのは思考だけです。状態は外への顕われにすぎません。思考が変わると、外側の物質的状態のすべてが創造主である思考に合わせるために変わらざるをえません。

26

しかし、思考は明瞭で安定しており、固定されて不変でなければなりません。あなたは一歩前進して、二歩後退することはできません。同様に、二、三〇年間否定的に考えてきた結果、否定的な状態を積み上げておいて、一五分から二〇分、正しく考えるだけでそれまでのものがすべて消え去ることを期待するのは虫がよすぎます。

27

もし人生を根本的に変える鍛錬をするつもりなら、十分に熟慮した上で、慎重に取り掛からなければなりません。そして、何ものにも自分の決定を妨げさせてはなりません。

28

この鍛錬、この思考の変化、この心の姿勢は最高の繁栄を築くのに必要な物質をもたらしてくれるだけではなく、健康と全般的に円満な状態をもたらすでしょう。

29

もし人生に調和を望むなら、バランスの取れた心の姿勢を育まなければなりません。

30

あなたの外側の世界は内側の世界の反映なのです。

31

今週のエクササイズは、調和への集中です。わたしが集中と言う時、その言葉がほのめかすすべてを指します——調和以外、何も意識するものがなくなるまで、深く、真剣に集中するのです。わたしたちは行為することによって学ぶことを覚えていてください。これらのレッスンを言葉で読むだけではどこにもたどりつけません。実行することに価値があるのです。

扉を閉め、あなたの心や世界から、これといった明確な目的もなく入場を求める一切の要素を締め出しておくことを学びなさい。

——ジョージ・マシュー・アダムス

第15週

わたしたちの暮らしを支える法則

植物に見られる寄生生物を使った実験は、もっとも下等な生物でさえ自然の法則を活用する能力を持っていることを示しています。実験はロックフェラー研究所の所員であるジャック・ローブ医学博士によって行われました。

「データを得るため鉢植えの薔薇を部屋の中に持ち込み、閉めた窓の前に置きました。薔薇の木が干からびてしまうと、それまで羽根を持っていなかったアブラムシ（寄生虫）が羽根を持った昆虫に変わります。変身した後、その動物は薔薇の木から離れ、窓まで飛んでいって、ガラスにへばりつき、這い上がろうとします」

自分が寄生していた植物が死んでしまい、もはや食べ物や飲み物をそこから得られない、とこれらの小さな昆虫が気づいたことは明らかです。飢え死にしないようにする唯一の方法が、一時的に羽根を生やして飛ぶことだったのです。

このような実験は、全知全能が宇宙の隅々まで行き渡っており、もっとも小さな生物でさえ、緊急時にはそれを利用できることを示しています。

この章ではわたしたちの暮らしを支えている法則についてくわしくお話しします。これらの法則がわたしたちに利益をもたらすこと、わたしたちに訪れるあらゆる状態や経験はわたしたちのためにあること、わたしたちは努力した分だけ強くなること、わたしたちの幸せは意識して自然の法則と協調して生きることによって達成されることなどをお話することになるでしょう。

わたしたちの暮らしを支えている法則は、わたしたちの利益にしかならないよう工夫されています。これらの法則は不変であり、わたしたちはその働きから逃れられません。

2

すべての偉大な永遠の力は厳粛な沈黙の中で作用しますが、自分自身をそれらの力と調和させ、平和で幸せな人生を送れるかどうかはわたしたちのパワー次第です。

3

困難、不和、障害などは、わたしたちがもはや必要としていないものを手放すのを拒否しているか、必要なものを受け入れるのを拒否しているかのいずれかを示しています。

4

成長は古いものを新しいものと、良いものをもっと良いものと取り替えることによって達成されます。それは条件つきの、互恵的な活動です。というのも、わたしたちはめいめい完璧に独立した思考体で、与えるものだけを受け取ることができるからです。

5

自分の持ちものにしつこくしがみついていれば、持っていないものを手に入れることはできません。自分が引き寄せるものの目的を察するようになると、自分の状態を意識的に制御できるようになり、それぞれの経験から、成長するのに必要なものだけを引き出せるようになります。その能力のいかんによって、どこまで調和や幸せを達成できるかが決まります。

6

より高い次元に達し、より広い視界を持てるようになれば、成長に必要なものを知る能力がどんどん高まっていきます。必要なものを知る能力が高まれば高まるほど、確信を持ってそれを見分け、引き寄せ、吸収するようになります。成長に必要なもの以外、目に入らなくなるかもしれません。

7

わたしたちにもたらされる状態や経験はすべて、わたしたちのためになるのです。知恵を吸収し、さらなる成長にとって必要なものを集められるようになるまでは、困難や障害が現われ続けるでしょう。

8

わたしたちが種を蒔いたものを刈り取るというのはまぎれもない事実です。わたしたちは困難に打ち勝つ努力をした分だけ永遠の強さを得ます。

9

成長するための絶対条件は、自分に完璧に調和するものを最大限引き寄せることです。わたしたちの最高の幸せは、自然の法則を理解し、意識的に協調することによって達成されます。

10

思考は創造的であり、この法則が拠り所にしている原理は万物に初めから浸透しています。けれども、思考に生命力を吹きこむには、愛情を注ぎこまなければなりません。愛は感情の産物です。だから、知性と理性によって感情を制御し、導くことが絶対に必要です。

11

思考に生命力を与え、発芽できるようにさせるのは愛です。引き寄せの法則、すなわち愛の法則——ふたつは一つの同じもの——は思考が成長し成熟するのに必要な素材をもたらします。

12

思考の基になるのは言葉です。だから言葉は重要なのです。言語は思考の最初の表現なのです——思考を運ぶ船であるとも言えます。言葉は大気を満たすエーテルを音に変えて思考を他人に伝えます。

13

思考はどんな行動をも引き起こします。しかし、いかなる行動であれ、それは目に見える形で自らを表現しようとしている思考にすぎません。ですから、好ましい状態を望むなら、好ましい思考だけを抱くようにすべきなのは明らかです。

14

ここから必然的に次のような結論が導き出されます。もし自分の人生で豊かさを表現したければ、豊かな自分を心の中で思う必要があるという結論です。言葉は思考が形を取ったものにすぎないので、わたしたちはとりわけ、建設的で調和の取れた言葉だけを使うよう注意しなければなりません。そうすれば、豊かな人生が現実のものになるでしょう。

15

わたしたちは絶えず心に焼きつけるイメージから逃れることができません。それは言葉を使うことによってなされます。自分の幸せに一致しない言葉を使えば、それに対応する誤ったイメージが心に焼きつけられるのです。

16

思考が鮮明になり、次元が高くなればなるほど、わたしたちはより多くの生命を表現するようになります。次元の低い概念から解放された明確な言葉の映像を用いれば、それがより実現されやすくなります。

17

わたしたちは言葉を用いて思考を表現せざるをえません。もし願望実現の技を磨きたければ、しっかりと目的を見据えて慎重に選んだ素材だけを使わなければなりません。

18
思考を言葉の衣装で包むこの素晴らしい力が、人間と動物の違いです。人間は書かれた言葉を使って、何世紀もの出来事を振り返り、現在の遺産をもたらした数々の感動的なシーンを見ることができるようになったのです。

19
人間があらゆる時代の偉大な作家や思想家と交流できるのも、書かれた言葉のおかげです。今日わたしたちが持っている膨大な記録は、人間の心の中で形になる道を探ってきた普遍的思考の表現なのです。

20
普遍的思考が形の創造を目標としていることをわたしたちは知っています。同様に個人の思考が絶えず自らを形で表現しようとしていることも知っています。言葉は一つの思考形態であり、文章は思考形態の組み合わせです。だから、もし美しくて堅固な理想の寺院を建てたかったら、最終的に寺院を生み出す言葉は、正確で注意深く束ねられていなければなりません。言葉と文章を正確に組み立てる建築術は文明人にとって必須のものであり、成功へのパスポートです。

21
思考を運ぶ言葉は、目に見えませんが、無敵のパワーを秘めており、最終的に、自らを形として対象化します。

22

言葉は永遠に存続する心の家にもなりえますし、ちょっとした風で吹き飛ばされる小屋にもなりえます。目だけではなく耳を喜ばせることもあります。あらゆる知識を含むものにもなりえます。言葉の中にわたしたちは過去の歴史だけではなく、未来の希望も見いだします。言葉はすべての人間的及び超人的活動がそこから生まれる遺伝情報なのです。

23

言葉の美は思考の美の中にあります。言葉の力は思考の力の中にあります。そして、思考の力はその生命力の中にあります。どうすれば生命力に溢れた思考を探し出せるでしょう。その際立った特徴は何なのでしょう？　それは原理を持っているにちがいありません。どうすればその原理を突き止められるでしょう？

24

数学の原理はありますが、過ちの原理はありません。健康の原理はありますが、病の原理はありません。真実の原理はありますが、不正の原理はありません。光の原理はありますが、暗闇の原理はありません。豊かさの原理はありますが、貧困の原理はありません。

25

原理が真実であるかどうかは結果を見ればわかります。健康があるところに病はありません。その真実を知っていれば、騙されることはありえません。光を招き入れれば、闇が居座ることはできず、豊かさがあるところに、貧困はないのです。

26

これらは自明の事実です。しかし、原理を含む思考が生命力を持っており、ゆくゆくは根を生やし、生命力を持てない否定的思考を徐々にですが確実に追放するというきわめて重要な真実は、どうもこれまで見過ごされてきたようです。

27

けれどもそれは、あらゆる種類の不和、欠乏、限界を破壊することを可能にする事実なのです。

28

「真実を理解する賢さを持つ」人なら、思考の創造的な力が自分の手に無敵の武器を握らせ、運命の支配者にすることを簡単に認めるでしょう。そのことに疑問の余地はありません。

29

物質界には補償の法則というものがあります。「どこかに一定量のエネルギーが出現することは、他のところで同量のエネルギーが消滅することを意味する」というものです。わたしたちが与えた分だけを受け取るというのもその法則の働きです。もしある行為を誓ったら、その行為の及ぶところにまで責任を取る心の準備をしなければなりません。潜在意識は推測することができません。わたしたちの言葉を真に受けます。何かを頼めば、それを受け取ることになります。ベッドを作れば、それに横たわることになるのです。

30

ですから、わたしたちが抱く思考が、自分の人生に出てきて欲しくない精神的、道徳的、身体的な芽を含まないよう、洞察力を鍛えなければなりません。

31

洞察力は事実や状態を長い目で検討できる心の能力であり、一種の人間望遠鏡です。どんな仕事をするにせよ、それは困難だけではなく、可能性をも見抜く力を持っています。

32

洞察力はわたしたちが遭遇するであろう障害に備えさせてくれます。そのため、それらが困難を引き起こす前に、克服できるのです。

33

洞察力は、わたしたちの思考や注意を何の見返りもない回路ではなく、利益をもたらす回路へと導いてくれます。

34

ですから、偉大な目的を達成するために絶対なくてはならないものです。洞察力があれば、どんな心の領域にも入り込んでいって探究することができます。

35

洞察力は内面世界の産物であり、集中によって沈黙の中で育まれます。

36

今週のエクササイズは洞察への集中です。慣れた姿勢を取り、創造的で思考の力について考えるだけでは、なんの洞察も得られないことを肝に命じてください。知識はそれ自体では役に立ちません。わたしたちの行為は知識ではなく慣例や前例や習慣によって支配されています。わたしたちが自分自身に知識を適用できる唯一の方法は断固とした意識的な努力によってです。以上の事実を心に刻みつけてください。そして、使わない知識は心から立ち去ってしまうこと、情報の価値は適用することで生まれるという事実を思い浮かべてください。そうした考えを突き詰めていけば、創造的な思考の原理をあなた自身の特定の問題に適用する方法がわかるはずです。

真実を考えよ。そうすれば汝の思考は世界の飢饉を救うだろう。
真実を話せ。そうすれば汝の一つ一つの言葉は実りをもたらす種になるだろう。

真実を生きよ。そうすれば汝の人生は偉大で高貴な信条になるだろう。

――ホレイショ・ボナー

第16週

スピリチュアル・パワーを発揮する

惑星宇宙の活動は周期性の法則によって司られています。すべての生き物は誕生、成長、成熟、衰退の周期を持っており、七の法則によって司られているのです。

七の法則は週の日数、月の位相、音、光、熱、電気、磁気、原子構造の調和を司っています。個人の一生や、国の盛衰を司り、経済活動も支配しています。

命は成長します。成長とは変化です。七年周期でわたしたちは新しいサイクルに入ります。最初の七年は幼年期です。次の七年は児童期で、個人の責任の始まりを表しています。次の七年が思春期です。四番目の周期は成熟の段階を表します。五番目は建設的な時期で、土地や財産や家族を持ち始めます。次の三五歳から四二歳までは反応と変化の時期で、その後に、再構築、調整、回復の時期が続き、五〇歳から始まる次の新しいサイクルに備えます。

世界はちょうど六番目の時期から抜け出そうとしているところだと考える人たちがたくさんいます。まもなく、七番目の周期、再調整、再建、および調和の周期に入ろうとしているというのです。それは至福千年（キリストが再臨してこの世を治める千年）とよく呼ばれる時期です。

これらの周期について知っていれば、一見、調子が悪いように思える時でも、煩わされずに、これから述べる原理を確信を持って適用できます。高次の法則が低次の法則を支配するという原理です。つまり霊的な法則を理解し、意識的に働かせれば、一見困難に見えることもすべて祝福に変えられるということです。

I

富は労働の産物です。資本は原因ではなく結果です。主人ではなく召使いであり、目的ではなく手段です。

2
もっとも広く受け入れられている富の定義は、交換価値を持つ有益な、都合のいいものから成っているというものです。富の第一の特徴はこの交換価値なのです。

3
富が持ち主の幸せになんらかの貢献をするとすれば、それが交換価値を持っているからだということがわかります。

4
この交換価値は、富を、理想の実現を可能にする真の価値を持ったものを得るための媒体にします。

5
ですから、富は目的として求められるべきものではありません。目的を達成する手段としてのみ求められるべきものなのです。成功できるかどうかは、単にお金を貯めることよりもっと高い理想を抱けるかどうかにかかっています。そのような成功を切望する人は自らが積極的に追い求める理想を自分の中に持たなければなりません。

6

そのような理想を心に抱けば、方法や手段はひとりでに見つかります。でも、手段と目的を取り違えるような間違いを起こしてはなりません。しっかりとした明確な目標、すなわち理想がなければなりません。

7

プレンティス・マルフォード（一八三四年～一八九一年。アメリカのユーモア作家）は言いました。「成功者とは偉大な霊的理解力を持つ人だ。すべての偉大な幸運は優れた本物のスピリチュアル・パワーによってもたらされる」。不幸にもそうした力を認識できない人たちがいます。アンドルー・カーネギー（一八三五年～一九一九年。アメリカの鉄鋼王）の一家がアメリカにやってきた時、母親が生計を立てるために手伝わなければならなかったこと、ハリマン（一八九一年～一九八六年。アメリカの政治家、銀行家）の父親が年俸たった二〇〇ドルの貧しい牧師だったこと、トーマス・リプトン卿がたったの二五セントから出発したことなどを彼らは忘れているのです。これらの人々はスピリチュアルなパワー以外、頼れる力は何もありませんでした。

8

創造する力はスピリチュアル・パワーによって生み出されます。スピリチュアル・パワーを発揮するには、理念化、視覚化、物質化という三つのステップを経なければなりません。すべての企業のトップはもっぱらこの力に頼ります。「エブリデイズ・マガジン」の記事で、スタンダード石油の大富豪、ヘンリー・M・フラグラーは、自分の成功の秘密が、物事を完璧に見る能力にあったことを認めています。次に紹介する記者との会話は、理念化、集中、視覚化といったスピリチュアル・パワーに彼が長けていたことを示しています。

9

「あなたは実際にすべてを見たんですか？　つまりその、実際に目を閉じて線路を見たんですか？　見えたんですか？　それに列車が走っているところを？　そして汽笛を聞いたんですか？　そこまで行ったんですか？」「はい」「どれほど鮮明に？」「非常に鮮明にです」

10

ここでは、「原因と結果」がはっきりしています。思考が必ず行為に先行し、行為を決定しているのです。もしわたしたちが賢ければ、一瞬たりとも気まぐれな状態などありえないこと、人間の経験は秩序と調和を持った一連の流れの結果であるという恐るべき事実を認識するに至るでしょう。

11

成功したビジネスマンは理想家であることが多く、より高い生活水準を追い求めます。思考の霊妙な力がわたしたちの日常の風景の中に結晶化し、人生を形作っていくのです。

12

思考は可塑的な物質なので、わたしたちはそれを使ってさまざまな人生の構想を作り上げることができます。使うことが存在させることになるのです。ほかのすべての物事同様、それを認識し、正しく使う能力が、それを達成する必要条件なのです。

13

偶然、手に入れた富は災いをもたらすことがあります。なぜなら、自分の身の丈に合わないもの、自分が受け取るに値しないものを永遠に保持することはできないからです。

14

わたしたちが外の世界で遭遇する状態は、内部の世界で見いだす状態に呼応しています。それは引き寄せの法則によってもたらされます。では、内面世界に入ってくるものをわたしたちはどのようにして決めるのでしょう?

15

五感ないし客観的精神を通して心に入ってくるものはすべて、心に印象を刻み、心象を生み出します。それが創造エネルギーのパターンとなります。これらの経験は大部分が、環境、偶然、過去の思考、その他の否定的思考の結果であり、心に抱く前に入念な分析にかけなければなりません。一方、わたしたちは、他人の思考や外部の状態や環境とは関わりなく、自分自身の内的な思考のプロセスを通して独自の心象を形作ることができます。その力を用いれば、自分自身の運命、身体、心、魂を制御できます。

16

その力を活用して、わたしたちは自分の運命を偶然の手から取り戻し、自分の望む経験を意識的に作り上げることができます。というのも、意識の中である状態を強く思念すれば、その状態が最終的にわたしたちの人生に出現するからです。つまり、思考は人生最大の原因なのです。

17

したがって、思考を制御するのは、境遇、状態、環境、運命を制御することを意味します。

18

では、どうすれば思考を制御できるのでしょう？　そのプロセスはどのようなものでしょう？　考えることが思考を生み出しますが、思考の結果はその形、性質、生命力によって決まります。

19

形はそれを生み出す心象に左右されます。心象は印象の深さ、アイディアの重要性、ビジョンの明確さ、イメージの大胆さなどに影響されます。

20

性質はその実質に左右されます。実質は心を作る素材いかんによって決まります。この素材が元気さ、力強さ、勇気、決断力といった性質を帯びていれば、その思考も同様な性質を備えます。

21

最後に、生命力は思考にこめる感情の強さに影響されます。思考が建設的なら、生命力を持ち、成長発展して拡大し、創造的になります。完璧な成長を遂げるのに必要な一切のものを自分に引き寄せるのです。

22

もし破壊的であれば、自らの内部に自らを解体する菌を持つことになるでしょう。そうした思考はやがて死にますが、不快感や病、その他の不和を生み出します。

23

それをわたしたちは悪と呼びます。一部の人は自分で悪を生み出しておいて、困難を神のせいにする傾向があります。しかし、神は公平な宇宙精神にすぎません。

24

宇宙精神は善でも悪でもありません。ただあるだけです。それを形へと分化させるわたしたちの能力が善悪を顕在化させるのです。

25

したがって善悪は実在するものではありません。わたしたちが自分の行為の結果を示すために用いる言葉にすぎないのです。それらの行為は思考の性格によって予め決定されます。

26

思考が建設的で調和が取れていれば、わたしたちは善を行います。破壊的で調和を失っていれば、悪を行います。

27

もし異なった環境を欲するなら、心に理想の環境のイメージを保持し、自分のビジョンが現実になるのを待てばいいのです。人や場所や物について考えてはなりません。それらは絶対者の中では場所を持たないのです。あなたが求める環境は必要な一切のものを含んでいます。必要な人間や物が適切な時に、適切な場所に現れるでしょう。

28

性格、能力、達成、成功、環境、運命といったものが、ビジュアリゼーションの力を通してどのようにして制御されうるのかは時に明白ではありませんが、それは正確な科学的事実なのです。

29

わたしたちが考えるものが心の性質を決め、心の性質がわたしたちの能力や精神的な許容量を決めることは容易にわかるでしょう。能力を改善すれば、さまざまなことを達成する力もつき、環境を制御する力もひとりでに増すことが理解できるはずです。

30

物事はすべて「ただ起こっている」ように見えますが、実際には、もろもろの自然の法則が完璧な調和を持って働いているのです。その証拠が欲しいなら、自分の人生におけるさまざまな努力の結果を比較してみればいいでしょう。高い理想に駆り立てられてした行為と、利己的な動機を内に秘めてした行為の結果を比べてみるのです。それ以上の証拠はいらないでしょう。

31

もしなんらかの願望を実現したかったら、自分が成功するイメージを心の中に思い浮かべてください。そうすれば、あなたは自分に成功を強い、科学的な方法によって願望を実現することになるでしょう。

32

わたしたちは外界にすでに存在するものしか見ることができませんが、わたしたちが心に思い浮かべるものは、すでに霊的な世界に存在します。わたしたちが自分の理想に忠実であれば、こうして思い浮かべられたものはいつの日にか、客観的世界に出現するものの実質的な証なのです。理由は簡単。ビジュアリゼーションは想像の一形態です。それは心に印象を刻みつけます。それらの印象が概念や理念を形作り、宇宙精神が未来の織物を織るための設計図として働くのです。

33

感覚は一つしかないという結論に心理学者たちは達しました。感情の感覚です。それ以外の感覚はすべてこの感覚の変種にすぎないというのです。よい結果を得るため、思考に感情をこめる必要があるのはそのためです。思考と感情は無敵の組み合わせなのです。

34

もちろん、ビジュアリゼーションは意志によって導かなければなりません。自分が欲するものを正確に思い描くべきです。想像が暴動を起こさないよう注意していなければなりません。想像は良い召使いですが、主人としては頼りになりません。制御されなければ、何の根拠もない憶測や結論に簡単に導くかもしれません。検分しないと、ありとあらゆるもっともらしい意見を受け入れてしまい、その結果、必ず精神的な混乱をきたします。

35

ですから、科学的に真実である心象だけを構築しなければなりません。すべてのアイディアを分析にかけ、正確ではないものは一切受けつけてはなりません。そうすればあなたは自分で実行できることだけをするようになり、努力は成功によって報われるでしょう。それがビジネスマンの言う「先見の明がある」ということです。それはほとんど直観と同じもので、あらゆる重要な職業における偉大な成功の秘密の一つなのです。

今週のエクササイズは、調和や幸せが意識の状態であり、物を所有することとは関係ないという大切な事実を認識することです。物は結果であり、正しい心の状態の所産としてもたらされます。ですから、もし何らかの物質的財産を欲するなら、望ましい結果をもたらす心の姿勢をまず築かなければなりません。こうした心の姿勢は、わたしたちの本性がスピリチュアルなもので、わたしたちが万物の根源物質である宇宙精神と一体であると認識することでもたらされます。それは科学的に正しい認識で、わたしたちが心の底から楽しむために必要なすべてをもたらします。そのような心の姿勢を生み出すことに成功したら、願望がすでに実現された事実であると認識するのは容易です。それができれば、いかなる種類の欠乏や限界からも「解き放ってくれる真実」が明らかになります。

人間は星を構想し、実際の軌道に乗せて回転させることができるかもしれない。しかし、神が物事を実現させる思考という黄金の武器を与えてくれなかったら、そんな素晴らしいことはできないだろう。

――H・W・ビーチャー

時代の最大の出来事はその時代の最高の思想である。行動への道を見いだすのが思考の性質なのだ。

――ボビー

第17週

象徴《シンボル》と現実――真の集中

意識的、無意識的にどんな神を崇めるかは、崇拝者の知的状態を示しています。ネイティブ・アメリカンに神について尋ねれば、栄光の部族の強大な酋長について話してくれるでしょう。多神教徒に神について尋ねれば、火の神、水の神、その他、八百よろずの神の話をしてくれるでしょう。

ヘブライ人に神について尋ねれば、十戒で民を支配したモーゼの神について話してくれるでしょう。あるいは、ヘブライ人を戦いに導き、財産を没収し、囚人を殺害し、あまたの都市を荒廃させたヨシュア（モーゼの後継者）について話してくれるかもしれません。

いわゆる異教徒たちは神の「偶像」を作って崇めました。しかしもっとも高い知性を持つ人たちの間では、少なくともこれらの像は、自分の人生で実現したいと思っている性質を体現したシンボル（象徴）にすぎませんでした。

二〇世紀のわたしたちは理論上では愛の神を崇拝しますが、実際には、「富」「権力」「ファッション」「習慣」「慣例」といった「偶像」をでっち上げ、それらの前にひざまずいて崇めます。わたしたちがそうしたものに集中するゆえに、それらが人生に現れるのです。

この章の内容をしっかりマスターすれば、シンボル（象徴）を現実と取り違えることはなくなるでしょう。結果より原因に興味を抱くようになり、人生の現実に焦点を当てるため、結果に落胆することはなくなるでしょう。

I

人間は「万物を支配する権利」を持っていると言われます。この支配権は宇宙精神を通して確立されます。

思考は宇宙精神下のすべての原理を制御する活動です。優れた性質ゆえに最高位にある原理が、境遇や状況やすべてのものの関係を決めます。

2

精神的な力の波動は、もっとも繊細であるがゆえに、もっとも強力なものです。精神的な力の性質や超越性を感知する人にとって、あらゆる物理的な力は取るに足らないものに映ります。

3

わたしたちは五感のレンズを通して宇宙を見るのに慣れています。それらの経験から擬人的な概念が生まれます。しかし真の概念は霊的な直観によってのみ獲得されます。こうした直観を働かせるには心の波動を活性化することが必要ですし、心が一定の方向に集中している時にしか働きません。

4

集中力を持続している時、思考は切れ目なく均等に流れています。それは心が安定していて粘り強く、制御がよくきいている証拠です。

5

偉大な発見は長期の調査の結果もたらされます。数学はマスターするまで何年もの集中的努力を必要とします。もっとも偉大な科学――心の科学――は集中的努力を通してのみ明らかにされます。

6

真の集中を理解するため、俳優を例に取りましょう。俳優の偉大さは、役を演じることに没頭して役になりきり、観客が迫真の演技に心を揺さぶられるという事実にあります。他の一切のことが眼中になくなるまで自分の思考に没頭するのです。そのような集中は対象の性質を理解するための直観的な洞察に導いてくれます。

7

すべての知識はこのような集中の結果としてもたらされます。そうして天と地の秘密が解き明かされてきたのです。集中すると心は一つの磁石となり、知りたいという欲求が否応なく知識を引き寄せ、自分のものにするのです。

8

願望は大部分が無意識的なものです。意識的な願望は、すぐに手の届くところにある目標なら別ですが、そうでなければめったに達成されません。無意識の願望は心の潜在能力を目覚めさせるので、難しい問題が独りでに解けるように思われます。

9

集中すれば、潜在意識を目覚めさせ、自分の目的のために活用することが可能になります。集中の訓練をするには、身体、知性、精神を制御する必要があります。

10

身体、知性、精神を制御するには、スピリチュアルなパワーが必要です。なぜなら、スピリチュアル・パワーの助けなしには、一切の限界を突破して、さまざまな思考を性格や意識に翻訳する地点にまで到達できないからです。

11

集中は単に考えるということだけではなく、考えたことを実際に役に立つものに変換することも含んでいます。普通の人は集中の意味がわかりません。人は常に「持つこと」を求めますが、「存在する」ことは求めません。「存在する」ことなく、「持つこと」などできないこと、「財産を増やす」前に、まず「王国」を発見しなければならないことを理解できないのです。瞬間的な情熱は何の価値もありません。無限の自信がない以上、目標は達成されません。

12

心は少し高いところに目標を置きすぎて、たどりつけないことがあります。慣れない羽根で舞い上がろうとしても飛ぶ代わりに地上に落下してしまうのです。でもそれであきらめてはいけません。

13 弱さだけが、精神的に何かを達成することを妨げるのです。身体的な限界や精神的な不安定さは自分の弱さからくることを認め、再度挑戦してみてください。反復すれば、何事も完璧にできるようになります。

14 天文学者は星々に注意を集中します。すると、星たちがその秘密を明らかにします。地質学者は地球の構造に焦点を当てます。だから地質学があるのです。万事そうです。人間が人生の諸問題に焦点を当てると、その結果が時代の広い複雑な社会秩序の中で明らかになるのです。

15 すべての精神的な発見と偉業は願望と集中の結果です。願望は最強の行動様式です。願望が一貫していればいるほど、啓示の効力が増していきます。願望に集中が加われば、自然からどんな秘密でも得ることができます。

16 偉大な思考を理解し、それに伴う偉大な感情を体験する人は、より次元の高い物事の価値を理解できます。

一瞬の真剣な集中の強烈さや、何かになりたい、何かを達成したいという強烈な思いは、強要された努力を何年もこつこつと重ねるより、はるかに遠くまであなたを連れていってくれるかもしれません。そして不信、弱さ、無能性、自己卑下といった刑務所の鉄格子を緩め、克服する喜びを味わわせてくれるでしょう。

18

指導力や独創性は粘り強い持続的な精神的努力を通して養われます。ビジネスは集中することの大切さを教え、実用的な直観力や素早い決断力を養ってくれます。どんなビジネスでも、パイロットの役割を果たすのは精神的要素で、願望が主要な牽引力として働きます。あらゆるビジネスの関係は願望が外に現れたものなのです。

19

大切な徳の多くが雇用関係の中でしっかりと養われます。規律のある職場で働いていると、心が落ち着き、効率よく働くようになります。もっとも必要なのは心を強化することです。散漫な意識や気まぐれな本能的衝動に惑わされることなく、高次の自己と低次の自己の葛藤に打ち勝つ強さが必要なのです。

20

わたしたちはみな発電機ですが、発電機それ自体は、何物でもありません。心が発電機を動かすのです。それで役に立つようになります。エネルギーを集中させることができるからです。心は夢にも見たことのないようなパワーを持ったエンジンだと言えます。思考は何でもこなすパワーです。それは形あるものや形となって現われるあらゆる出来事の支配者兼創造主です。物理的なエネルギーは思考の全能性に比べたら何物でもありません。なぜなら思考は自然の力すべてを利用する力を人間に与えるからです。

21

思考の活動は波動です。建築するために必要な素材を引き寄せるのは波動なのです。思考の力に関しては、神秘的なことなど一切ありません。わたしたちは意識の焦点を自由に操ることができます。対象と一体化するまで、その焦点を合わせることができるのです。それを集中と呼んでいるにすぎません。

22

重要なことに集中すると、直観力が働き出し、必要な情報がもたらされます。

23

直観は経験や記憶の助けを借りずに結論に達し、理性の力では把握しえない問題をしばしば解決します。直観はよく突然に訪れ、わたしたちを驚かせます。わたしたちが探し求めていた真実をあまりにも直接明らかにするので、高次のパワーからやってくるように思えます。直観を養い育てるのは可能です。ただし、そのためには、それを認め、感謝しなければなりません。もし直観という訪問者がやってきた時、王様のように歓迎されたら、ふたたびやってくる気になるでしょう。誠意のある歓迎を受ければ受けるほど、頻繁にやってくるようになるでしょう。しかし、もし無視されたり、軽んじられたりしたら、足は遠のくでしょう。

24

普通、直観は沈黙の中で訪れます。偉大な精神の持ち主は一人でいたがります。人生の大きな問題はすべて孤独の中で解決されるのです。だから、ビジネスマンは誰にも邪魔されない個人事務所を持ちたがるのです。たとえ個人事務所を持つ余裕がなくても、毎日、何分間か一人になって直観力を養う場所を見つけるぐらいはできるでしょう。

25

潜在意識が基本的に全能だということを思い出してください。働く力を与えられれば、どんなことでも成し遂げることができます。あなたがどの程度成功できるかは、どんな願望を抱くかによって決まります。もしあなたの抱く願望の性格が自然の法則ないし宇宙精神に調和していれば、あなたの心は徐々に解放され、揺るぎない勇気を得るでしょう。

26

障害を克服するたび、また勝利するたび、あなたは自分のパワーをもっと信じるようになり、勝ちグセをつけていくでしょう。あなたの強さは心の姿勢によって決まります。成功するという姿勢を確固たる目的を持って維持すれば、あなたが暗黙のうちに求めているものを、目に見えない領域から引き寄せるでしょう。

27

そうした思考を心に持ち続ければ、思考は徐々に手に触れられる形を取ります。明確な目的により突き動かされた原因は、目に見えない世界から出てきて、あなたに必要な素材を見つけるのです。

28

あなたはパワーそのものではなく、パワーの象徴を追い求めているのかもしれません。名誉ではなく名声を、富ではなく財宝を、奉仕ではなく地位を追い求めているのかもしれません。しかし、そのいずれもが、追いついたと思ったとたん、灰に変わることにあなたは気づくでしょう。

29

たまたま手に入れた富や地位は、受け取る資格がないゆえに、維持できません。わたしたちは与えるものだけを受け取ることができます。与えずに受け取ろうとする者は、必ず何らかの代償を求められることになるでしょう。

30

競争は普通、お金やその他のパワーの象徴を獲得するために行われます。しかし、パワーの真の源を理解すれば、象徴を無視できるでしょう。銀行に多額の預金がある人間は、ポケットを金塊で満たす必要がないと気づきます。パワーの真の源を見いだした人間も同じです。彼はもはや偽物やまやかしには興味を持ちません。

31

思考は普通、外側に向けられますが、内部に向かわせることもできます。そこで、物の基本原理や核心、スピリットを把握するのです。核心にたどりつけば、それらを理解し、思い通りにするのは比較的簡単です。

32

というのも物のスピリットは物そのものであり、真の実体だからです。形は内部の霊的な活動の顕れにしかすぎません。

33

今週のエクササイズは、これまで述べてきた集中のエクササイズです。目的を達成するのに、意識的な努力や活動は必要ありません。完全にリラックスし、結果を心配する考えを捨ててください。パワーが休息を通してやってくるのを思い出してください。他の一切のことが眼中になくなるまで、自分の目標に思念を集中し、完全にそれと一体化してください。

34

もし恐れを消滅させたかったら、勇気に集中してください。

35

もし欠乏を消滅させたかったら、豊かさに集中してください。

36

もし病を消滅させたかったら、健康に集中してください。

37

常に理想に集中してください。すでに実現していることとして集中するのです。それが胚細胞（生命原理）となって芽を出し、原因を突き動かします。原因は必要なすべてのものを引き寄せます。それが最終的に形となって現れるのです。

思考はそれを自在に操れる人だけの財産である。

――エマソン

第18週

新しい意識の目覚め

成長するには成長に必要なものを獲得しなければなりません。これは引き寄せの法則を通してもたらされます。この原理は宇宙精神から個人が分化する唯一の手段なのです。

ちょっと考えてみてください。人間が家族を持っていなかったら、また、社会や経済、政治、宗教の世界に無関心であったら、どうなるでしょう？　抽象的な架空の自我でしかなくなるでしょう。つまり、人間は全体や他の人間や社会との関わりの中にのみ存在するのです。こうした関係が環境を構成するのであって、環境が人間関係を作るのではありません。

個人が「この世に誕生するすべての人間を照らす」一つの宇宙精神の分化にすぎないことは明白です。いわゆる個性とか人格と呼ばれているものは、当人が全体と関わる態度から成っています。

それをわたしたちは環境と呼んでいるのです。環境は引き寄せの法則によってもたらされます。今週のレッスンでは、この重要な法則についてさらに詳しく説明します。

1

世界の思想に変化が起こっています。この変化は静かにわたしたちの中で進行し、異教の没落以来、世界が直面してきた変化の中でもっとも重要なものです。

2

高い教養のある人間だけではなく、労働者階級の人々も含む、あらゆる階層の人々の中で起こっているこの思考革命は、歴史上、類を見ないものです。

3

科学は近年、膨大な発見をしてきました。資源の無限性を明らかにし、莫大な可能性と疑いようのない力を明らかにしてきたのです。それゆえ科学者は特定の理論を絶対視し、他の理論をばかげた不可能なものとして否定することをますますためらうようになっています。

4

新しい文明が生まれつつあります。習慣、教義、先例が古いものになり、ビジョン、信頼、奉仕といったものが取って代わろうとしています。伝統の足かせは人類の足元から消え去りつつあります。物質万能主義という不純物が取り除かれるにつれ、思考が解放され、真実が驚く大衆の前にその全貌を現しつつあるのです。

5

全世界が新しい意識、新しいパワー、新しい目覚めを迎えようとしています。

6

自然科学は物質を分子に、分子を原子に、原子をエネルギーに還元してきました。そして、フレミング氏は英国科学知識普及会での演説の中で、このエネルギーを心に還元しました。「煎《せん》じ詰めれば、エネルギーとは、わたしたちが心とか意志と呼んでいるものの直接的な働きの表現とみなすしかないかもしれません」

と彼は言っています。

7

この心は万物に内在する根源的なものです。それは物質の中にも宿っています。それは生命を支え、活力をもたらし、あまねく行き渡る宇宙のスピリットなのです。

8

あらゆる生き物はこの全能の知性によって支えられなければなりません。個々の生き物の違いはこの知性をどれだけ表しているかによって大方推し量られます。進化の物差しで植物より動物、動物より人間を上位に置くのはこの知性の大きさによってなのです。またこの増大した知性は、行動を制御し、自らを環境に意識的に合わせる個人のパワーによって示されています。

9

もっとも偉大な精神の持ち主たちの注意を引きつけてやまないのはそうした適応なのです。適応するということは、宇宙精神の中にある既存の秩序を認識していることにほかなりません。というのも、この心は、わたしたちがそれに従うのに比例してわたしたちに従うからです。

10

時間や空間を短縮する、空に舞い上がる、鉄の巨大な塊を水の上に浮かばせる、そういったことを可能にしたのは自然の法則の認識です。知性が発達すればするほど、自然の法則の認識が進み、わたしたちが所有できる力も大きくなります。

11

自己というものを、こうした宇宙的知性の個人化として認識できる人は、まだそうした自己認識のレベルに達していない人を制御できるようになります。自己認識のレベルに達していない人は、宇宙的知性が万物に浸透し、活動のキューを与えられるのを待っていることを知りません。それがどのような要求にも応じることも知りません。だから、彼らは自分自身の法則に縛られるのです。

12

思考は創造的です。思考の法則が基盤とする原理は健全で妥当なものであり、物の性質の中に内在しています。でもこの創造的パワーの源は個人の中ではなく、あらゆるエネルギーと物質の源である宇宙精神の中にあります。個人はこのエネルギーを分配する回路にすぎないのです。

13

個人は、宇宙精神が現象となって結実するさまざまな組み合わせを生み出す手段にすぎません。どんな現象になるかは波動の法則によって決まります。根源物質の中の、速度が異なるさまざまな動きが、波動の法則によって新しい物質を正確な数学的比率で形作るのです。

14

思考は、個人が宇宙精神と、有限なものが無限なものと、目に見えるものが見えないものとコミュニケーションする目に見えない鎖です。思考は人間が考え、認識し、感じ、行動する存在に変容する魔法なのです。

15

精密な装置が遠く離れた宇宙の出来事の発見を可能にしてきたように、緻密な理解力があらゆるパワーの源である宇宙精神とのコミュニケーションを可能にしてきました。

16

わたしたちが普段、理解するという時の「理解」は電話線でつながれていない電話ボックスぐらいの価値しかありません。何の意味もなさない一つの「信念」でしかないのです。ネイティブ・アメリカンも何かを信じていますし、カニバル諸島の原住民もそうです。しかし、それは何も証明しません。

17

万人にとって価値のある信念とは、テストにかけられて事実であることが確証された信念だけです。ですからそれはもはや信念ではなく、生きている信仰あるいは真実になったのです。

18

そしてこの真実は何十万人もの人々の手によって試されてきましたが、真実がどこまで明らかにされるかは、試験装置の精度いかんによって決まります。

19

強力な望遠鏡がなければ、辺境の離れた星を見つけるなんて期待できません。だから、科学は絶えずより大型で強力な望遠鏡を作ることにいそしみ、天体の知識を増やすという報酬を受け取ってきたのです。

20

理解にもそれがあてはまります。人間は無限の可能性を秘めた宇宙精神とのコミュニケーションを行うために用いる方法を絶えず進化させています。

21

宇宙精神は、個々の原子が持つ牽引力に応じて、無限に多様な姿で、外界に自らを顕わします。

22

物事が引き寄せられるのは、この牽引の原理によってなのです。この原理は普遍的に適用することが可能で、目的を実行する唯一の手段となります。

23

この普遍的原理の効力がもっとも美しく表現されるのは、成長という現象においてです。

24

成長するためには、成長に欠かせないものを獲得しなければなりません。ところが、わたしたちは常に完璧な思考体なので、与えるものだけしか受け取ることができません。したがって、成長は互恵的な行為に左右されます。精神的な次元で、似たものが似たものを引きつけることをわたしたちは見いだします。

25

たとえば、豊かさは豊かさにしか反応しません。個人の富はもともと本人のなかに内在しているとみなされます。内部の豊かさが、外部の豊かさを引き寄せるのです。個人の富の真の源泉は生み出す能力にあることが判明します。仕事に誠心誠意打ち込む人が確実に限りない成功に出会うのはそうした理由からです。彼は絶え間なく与え続けます。そして与えれば与えるほど多くを受け取るようになるのです。

26

ウォール街の偉大な金融家、産業界の大立者、政治家、大企業の弁護士、発明家、医師、作家、そういった人たちは人類の幸せにどんな貢献をするのでしょう? 思考のパワーを証明すること以外にはありえません。

27

思考は引き寄せの法則を作動させるエネルギーであり、最終的に豊かさとなってあらわれます。

28

宇宙精神は均衡を保った静的な心ないし物質です。それはわたしたちの考える力によって形へと分化します。思考は心のダイナミックな局面なのです。

29

パワーは使わないと失われます。パワーを使うには、パワーを持っているという意識を持たなければなりません。

30

パワーを自在に操るには注意力が必要です。どの程度、注意力を行使できるかで、獲得できる知識(パワーの別名)の量が決まります。

31

並外れた注意力は、天才に特徴的なものだと考えられてきました。注意力を鍛えるには訓練するしかありません。

32

注意力を呼び覚ますのは関心です。関心が強ければ強いほど、注意力も大きくなります。注意力が大きくなればなるほど、関心や反応も大きくなります。注意を払うことから始めてください。そうすればやがて関心を目覚めさせることになるでしょう。その関心がより多くの注意を引き寄せ、それがさらなる関心を生み出すという具合に続いていくでしょう。こうした訓練で、注意力を養うことが可能になります。

33

今週は、創造する力に焦点を当てます。あなたの中にある信念の論理的基盤を探す努力をしてください。身体を持った人間があらゆる有機生命体を支える大気の中で呼吸をしなければ生きることも動くこともできないという事実をよく考えてください。次に、スピリチュアルな人間がもっと微細な霊的エネルギーに支えられなければ生きることも動くこともできないという事実、物質的な世界同様、スピリチュアルな世界においても種を蒔かなければ、何も発芽するものがなく、親が植えた果実しか収穫できないという事実を考えてください。スピリチュアルな世界でも、種が蒔かれるまではいかなる結果も生まれません。どんな果実を収穫できるかは、種の質にかかっています。よってあなたが得る結果は強大な原因領域で働く法則をどの程度認識するかにかかっています。それを完璧に認識することが人間の意識進化の頂なのです。

心は何も考えなくても、素早くパワーに変わり、有効な手段を組織する傾向があります。

——エマソン

第19週

運命を制御する

恐れは強力な思考形態です。それは神経の中枢を麻痺させ、血液循環に悪影響を及ぼし、筋肉系を麻痺させます。ですから、恐れは身体、脳、神経、筋肉など全身に影響を及ぼすのです。

恐れを克服する方法は、言うまでもなくパワーを意識することです。わたしたちがパワーと呼ぶこの神秘的な生命力は一体何でしょう？　わたしたちは、電気が何かを知らないように、この力が何かも知りません。けれども、電気の法則に従えば、電気がわたしたちの忠実な僕《しもべ》になり、家庭や都市を明るく照らし、機械を動かし、さまざまな役に立ってくれることを知っています。

生命力も同じです。それが何かをわたしたちは知りません。永遠にわからないかもしれません。けれども、生命力が生きた身体を通して現れる主要な力であり、それを司る法則や原理に従えば、心身により豊富に流れこみ、効率よく働くのを知っています。

今週は、生命力を育むごく簡単な方法について説明します。このレッスンで述べられている情報を実践すれば、際立った天才のしるしとされてきたパワーの感覚を身につけられるでしょう。

I

真実の探求はもはや行き当たりばったりの冒険ではありません。それは体系的なプロセスであり、論理的に行われるものです。どんな体験でも、何らかの原因に関連づけられます。

2

真実を追い求めることで、わたしたちが探しているのは究極の原因です。すべての人間の経験が結果であるのをわたしたちは知っています。だから、原因を突き止められれば、そして、意識的に原因を制御できれば、結果や体験もわたしたちの制御下に置くことができます。

3

その時人間の経験はもはや運命のフットボールではなくなるでしょう。人間は運命の子どもではなくなり、宿命や運命は、船長が船を、エンジニアが汽車を制御するのと同じぐらい簡単に制御されるようになるでしょう。

4

万物は最終的に同一の要素に還元できます。ですから、お互いに翻訳可能なのです。万物は常に関係しており、お互いに反発しあうことはありません。

5

物理的な世界には、無数のコントラスト（対照）があります。それらは便宜上、特定の名称で呼ばれているかもしれません。すべての物にはサイズ、色、輝度、境界があります。北極と南極、内部と外部、見えるものと見えないものがあります。しかし、これらの表現は両極的なもの同士を対比させる役割を果たすだけにすぎません。

6

それらは一つのものの二つの異なった部分に与えられた名称です。二つの極は相関的です。別々に切り離されたものではなく、全体の二つの部分ないし側面なのです。

7

精神世界にも、同じ法則が見られます。わたしたちは知識の対極に無知があると考えます。しかし、無知は知識の欠如にほかなりません。したがって、無知とは、知識の欠如を表現する言葉にすぎず、それ自体、原理を持っていません。

8

道徳的な世界にも、同じ法則が見られます。よく善と悪と言いますが、善は手で触れることができる一つの実在です。それに対し、悪は単に善を欠いた否定的な状態であるにすぎません。悪はときどききわめて現実的な状態だと考えられますが、原理も生命力も一切持っていません。それがわかるのは、善によっていつでも破壊できるからです。真実が間違いを破壊し、光が闇を追放するように、善が現れると、悪は消え去ります。ですから、道徳の世界には、たった一つの原理しかありません。

9

霊的世界にもまったく同じ法則が行き渡っているのがわかります。わたしたちは心と物質を二つの異なった事象として語りますが、洞察力が鮮明になると、働いている原理は一つしかない――心だけ――ことが明瞭になります。

10 心は唯一実在する永遠のものです。物質は永遠に変わり続けます。永劫の時間の中では、百年は一日のようなものにすぎません。大都会の真ん中に立ち、立ち並ぶ高層ビルやさまざまな文明の利器を見渡してみてください。ほんの一世紀前にはどれ一つとしてなかったのです。百年後に同じ場所に立ったとしたら、おそらくそれらがほとんど残っていないことがわかるはずです。

11 動物の王国にも、同じ変化の法則が見られます。次から次へと動物は生まれては消えていきます。寿命が数年しかないという動物がほとんどです。植物の世界では、変化はもっと急です。ほぼすべての草花は誕生しても一年以内に消えていきます。無機物に目を転じると、永遠に変わらないものがそこにあるかのように見えます。しかし、一見固そうな大陸も、海から隆起したものであり、巨大な山も、かつては湖でした。見る者に畏敬の念を起こさせるヨセミテ渓谷《けいこく》の巨大な絶壁には、岩を穿った氷河の形跡が簡単に見て取れます。

12 わたしたちは絶え間ない変化の中にあります。この変化は宇宙精神の進化、すなわち万物を絶え間なく刷新する壮大なプロセスにほかなりません。物質は、心が形を取ったものにほかならず、それゆえ状態にすぎません。物質には原理がなく、心が唯一の原理なのです。

13 心が、身体的、精神的、道徳的、霊的な世界で働く唯一の原理だということをわたしたちは知りました。

14 心は本来動きのないものですが、個人の考える能力が宇宙精神に働きかけると、動きが生じます。

15 個人が宇宙精神に働きかけるには、食べ物という形で燃料を補給しなければなりません。なぜなら人間は食べずに考えることはできないからです。考えるといったスピリチュアルな活動ですら、物質的手段に頼らざるをえないのです。

16 電気を集めてそれをダイナミックな力に変えるには、ある種のエネルギーを必要とします。植物の命を維持するのに欠かせないエネルギーを集めるには、太陽光線が必要です。それと同じように、個人に考える力、つまり宇宙精神に働きかける力を与えるには、食べ物という形のエネルギーが必要なのです。

17

思考は絶えず自らを表現しようとします。そのことをあなたは知っているかもしれませんし、知らないかもしれません。でも、あなたの思考が強力で、建設的で、肯定的であれば、それが健康、ビジネス、環境の状態に反映されるという事実に変わりはありません。もしあなたの思考が総じて弱く、批判的かつ破壊的で、否定的なら、それは身体的には恐れや不安やいらだちとして、金融面では不足や限界として、環境面では調和を失った状態として現われるでしょう。

18

すべての富はパワーの子どもです。財産が価値を持つのはパワーをもたらす時だけです。出来事が意義を持つのは、パワーに影響を及ぼす時だけです。形あるすべてのものはパワーの程度を表現しているのです。

19

蒸気、電気、化学的親和力、および引力を司る法則は自然の法則と呼ばれます。なぜなら、物理的世界を司っているからです。しかしながらすべてのパワーが物理的だというわけではありません。精神的パワーもありますし、道徳的なパワーやスピリチュアルなパワーもあります。

20

わたしたちの学校や大学は精神的な発電所――精神的パワーが育まれる場所――にほかなりません。

21

発電所は生活必需品や電化製品を製造する工場に電力というパワーを供給し、わたしたちの生活を快適にすることに貢献します。けれども、精神的な発電所は特殊な原材料を集めて、それよりはるかに優れたパワーを作り上げます。

22

では、世界中の精神的発電所が、他のあらゆるパワーを制御するパワーを作り上げるのに使う原材料とは何でしょう？　それは宇宙の隅々にまで行き渡っている永遠不変の根源物質（宇宙精神あるいは心）であり、そのダイナミックな形態である思考です。

23

思考のパワーがすぐれているのは、より高い次元に存在しているからです。素晴らしい自然の力を利用して、何百万人分もの仕事をこなす法則の発見に導いたからです。時間と空間を消滅させ、引力の法則に打ち勝つ法則の発見を可能にしたからです。

24

思考は発展しつつある生命力ないしエネルギーであり、この半世紀の間に、少し前に存在していた人間には思いも及ばない世界をもたらすという離れ業をやってのけました。精神的な発電所を至るところに建設することで、そうした結果を生み出してきたとすれば、今後の五〇年で、いったいどれほどのことが期待できるでしょう。

25

万物を生み出す根源物質は量的に無限です。光が秒速三〇万キロメートルで航行することをわたしたちは知っています。遠くにある星から地上に光が到達するまで、二千年かかることも知っています。そのような星が天のあらゆる部分に存在していることもわかっていますし、光が波の形で移動することもわかっています。もし、光の波を乗せて運ぶエーテルが連続的でなかったら、光はわたしたちに届かないでしょう。よってこの物質もしくはエーテルは宇宙全体に行き渡っているのです。

26

では、どのようにしてそれが形として現われるのでしょう? 電気科学では、亜鉛と銅の対立する極をつなぐことによって電池が形成されます。すると、一方の極から他方の極に電流が流れ、エネルギーが供給されます。どんな極でも、それと同じプロセスが繰り返されます。すべての形は振動速度とその結果もたらされる原子同士の関係に左右されるので、もしわたしたちが外に現われる形を変えたければ、極性を変えなければなりません。それが因果の原理です。

27

今週のエクササイズは集中です。わたしが「集中」という言葉を使う時に意味しようとしているのは、その言葉が含んでいることのすべてです。他のことが一切眼中になくなるまで、自分の思考の対象に没頭してください。それを毎日、数分行うのです。あなたは身体に栄養を摂取するため、食べるのに必要な時間を取ります。それなのに、心の栄養を摂取するのに必要な時間を、なぜ取ろうとしないのでしょう?

28

外観が人を欺《あざむ》くという事実を考えてください。地球は平らでもありませんし、静止もしていません。空は円蓋ではありませんし、太陽は動いていません。星は小さな光の点ではありません。かつて固定されていると思われていた物質は、絶え間ない変化の状態にあることがわかってきました。

29

永遠の原理の働きに関する知識が急速に増えつつあります。それに従って思考と行動の様式を調整しなければならない日が刻一刻と迫っていること——夜明けが近いということ——を悟る努力をしてください。

結局、人間のすることでもっとも強力な影響力を持つのは、寡黙な思考である。

——チャニング

第20週

人は求めるもの
しか得られない

何年間も、悪の起源について際限のない議論が戦わされてきました。神学者は、神は愛であり、宇宙にあまねく存在すると言いました。それが本当であれば、神が存在していないところはありません。では悪や悪魔、地獄などはどこに存在しているのでしょう？　考えてみましょう。

神はスピリットです。

スピリットは宇宙の創造原理です。

人間は神の似姿として作られています。

人間は霊的な存在です。

スピリットがする唯一の活動、それは考えることです。

考えることは創造的なプロセスです。

あらゆる形は考えるプロセスの結果としてもたらされます。

形を破壊するのも考えるプロセスの結果です。

催眠は架空の像を心に結ばせますが、それも思考の創造的な力のなせる業です。

降神術は神をこの世に招きよせるかのように見せかけますが、それも思考の創造的な力がなければできないことです。

集中を要するあらゆる種類の発明や建設的な仕事には、思考の創造的な力が関与しています。

思考の創造的な力を人間の利益のために用いる時、その結果もたらされるものをわたしたちは善と呼びます。

思考の創造的な力を破壊的な方法で用いる時、その結果もたらされるものをわたしたちは悪と呼びます。

それが善悪の起源です。善悪は考えるプロセスあるいは創造するプロセスの結果もたらされるものの性質を言い表すための言葉にしかすぎません。

思考は必ず行為に先行し、行為を決定します。行為は状態に先行し、状態を決定します。

今週はこの重要なテーマにもっと光をあてていきます。

1

物のスピリットはその物自体です。それは永遠不変です。あなたのスピリットはあなたそのものです。スピリットがなければ、あなたは何者でもなくなります。ただし、自分の中のスピリットを働かせるには、自分の本質がスピリットであることを認めなければなりません。

2

あなたは膨大な富を持っているかもしれませんが、富があることを認めて活用しない限り、何の価値もありません。あなたのスピリチュアルな富にも同じことが言えます。それを持っていることを認め、使わない限り、何の価値もないのです。スピリチュアル・パワーを発揮する唯一の条件は、そうした力が自分に備わっていると認め、使うことなのです。

3

すべての偉大な物事は認識することを通してもたらされます。パワーを操るのは意識であり、思考がそのメッセンジャーになります。このメッセンジャーは目に見えない世界の現実を客観的世界の状態や環境へと絶えず移し変えようとしています。

4

考えることは人生の重要な仕事です。考えることがパワーをもたらします。あなたはいつも思考や意識の魔術的なパワーを扱っているのです。自分の制御下にあるパワーに気づかないままでいたら、どんな結果が期待できるでしょう?

5

自分のパワーに気づかないと、あなたは自分に自信を持てず、浮ついた状態でしかいられないでしょう。そうなると、考えることで自分のパワーを発揮する方法を知っている人たちの手伝いをする羽目になります。

6

パワーを身につける秘訣は、心の原理と力、その運用方法を完璧に理解することにあり、それはとりもなおさず、宇宙精神と自分の関係を理解することでもあります。心の原理が不変であることを覚えておいてください。そうでなかったら、頼りにならないでしょう。すべての原理は不変なのです。

7

あなたは宇宙精神の活動する側面であり、宇宙精神が活動する回路なのです。というのも宇宙精神は個人を通してしか活動できないからです。

8

宇宙精神のエッセンスが自分の内部にある――実は自分自身である――ことを知覚し始めると、いろいろなことが起こります。まず、自分のパワーを感じ始めます。そのパワーはあなたの想像力に火をつけ、インスピレーションの松明《たいまつ》に点火し、思考に生命力を吹き込みます。その結果、あなたは宇宙のすべての目に見えない力とつながっていると実感し始めます。あなたが恐れずに計画を立て、巧みにそれを実行することを可能にするのはそうしたパワーなのです。

9

でも、そのような知覚は沈黙の中でしか訪れません。沈黙は偉大な目的を果たすために必要な状態であるように思われます。沈黙の中でこそ、あなたの想像力はいかんなく発揮され、理想を心に思い描くことができます。

10

このパワーの性質を完璧に理解することが、それを自在に操るための主要な条件となります。ですから、必要な時にいつでも使えるよう、パワーを自覚する方法を頭に入れておいてください。その方法に従えば、好きな時に全能の宇宙精神から、尽きることのないインスピレーションが得られます。

11

わたしたちはこの内面世界を認識しそこねてしまい、意識から排除することもあります。それでも内面世界はあらゆる存在の基本的事実であり、自分自身の中だけではなく、あらゆる人間、出来事、物、環境の中にそれを認めることで、わたしたちの「内部」にあるとされている「天国」を見いだすことができるでしょう。

12

わたしたちの失敗はまったく同じ原理の働きでもたらされます。原理は不変です。その働きは正確で、逸脱することはありません。もし欠乏、限界、不和に結びつくことを考えれば、いたるところで欠乏や限界、不和といったものに遭遇することになるでしょう。貧困、不幸、病などのことを考えれば、その思考のメッセンジャーが、その呼びかけを実行し、確実な結果をもたらすでしょう。災難に見舞われることを恐れると、「恐れていた災難が降りかかってきた」と嘆く羽目になるでしょう。不親切な考えや不作法な考えを抱けば、それに見合う結果を引き寄せることになるでしょう。

13

この思考の力は、理解して正しく使えば、これまで夢にも見たことがない偉大な労力節約装置になりますが、理解せず間違って使えば、すでに見てきたように、災をもたらす危険があります。この力の助けを借りれば、一見、不可能に思えることでも自信を持って引き受けることができます。なぜならこの力はすべてのインスピレーションや才能を生み出す源だからです。

14

インスピレーションを受けることは、踏みならされた道やありふれた方法から抜け出すことを意味します。というのも、尋常ならざるものは尋常ならざる手段を必要とするからです。すべてのパワーの源が内側にあることや、万物の一体性を認識すれば、インスピレーションの源に触れられます。

15

インスピレーションとは、受け入れる技術、自己実現の技術、個人の心を宇宙精神に合わせる技術、すべての力の源に適切なメカニズムを取りつける技術、形のないものを形へと分化させる技術、無限の知恵が流れる回路になる技術、物事の完璧な姿を思い描く技術、全能の神があまねく行き渡っていることを悟る技術です。

16

無限のパワーは宇宙にあまねく行き渡っているので、無限に小さいと同時に無限に大きいと言えます。それが理解できれば、その本質も把握できるでしょう。さらに、このパワーはスピリットであるゆえ分割できないという事実を理解すれば、あらゆる場所に同時に存在するということがわかるはずです。

17

これらの事実を最初は知的に、それから感情的に理解すれば、この無限のパワーの海からパワーの水を飲むことが可能になります。頭で理解しただけではまったく役に立ちません。感情を働かさなければならないのです。感情のない思考は冷えています。思考と感情が組み合わさるべきなのです。

18

インスピレーションは内側からやってきます。沈黙が必要です。五感を鎮め、筋肉をリラックスさせ、冷静さを養う必要があるのです。そうして冷静さやパワーの感覚を持てるようになれば、目標を達成するのに欠かせない情報、インスピレーション、知恵を受け取る準備ができるでしょう。

19

この方法を透視の方法と混同しないでください。共通点は何もありません。インスピレーションは受け取る技術であり、人生を向上させることに役立ちます。あなたの人生の仕事は、これらの目に見えない力に支配権を握られ、振り回される代わりに、それらを理解し、制御することです。パワーは奉仕の意味を含みます。インスピレーションはパワーの意味を含みます。インスピレーションを得る方法を理解し、適用することは、スーパーマンになることなのです。

20

もし明確な意図を持って呼吸すれば、呼吸するたびにわたしたちはもっと豊かに生きることができるようになります。この場合の「もし」はきわめて重要な意味を持ちます。というのも、意図が注意力を高めるからです。注意力がなければ、あなたは他の誰もが得られるような結果しか得られません。つまり、求めた分だけ供給されるということです。

21

たくさん供給されたければ、要求を増やさざるをえません。意識的に要求を上げれば、供給がそれに従うでしょう。そうすれば、自分のエネルギーや生命力がどんどん高まっていくことに気づくでしょう。

22

要求を上げれば、なぜ供給がそれに従うのか、その理由は理解しがたいものではありませんが、もう一つの人生の神秘であり、一般には広く理解されていないようです。自分自身でそれを試してみれば、それが偉大な人生の真実であるとわかるでしょう。

23

「わたしたちは彼のうちに生き、動き、存在する」と告げられます。「彼」は神であり、愛です。それゆえわたしたちは呼吸をするたび、神の命と愛とスピリットを呼吸します。これがプラーナと呼ばれる生命エネルギーです。それなくしてわたしたちは一瞬たりとも存在できません。それは宇宙のエネルギーであり、太陽神経叢の生命なのです。

24

わたしたちは呼吸をするたび、肺を空気で満たすと同時に、生命そのものであるプラーナで身体を活性化します。それゆえ、すべての生命や知性や物質と意識的につながることができるのです。

25

宇宙を治めるこの原理と一体化すれば、「生命の息吹」を吸い込むことが可能となり、病やあらゆる種類の欠乏ないし限界から自分を解き放つことができます。

26

この「生命の息吹」は超意識的な実在です。それはわたしという存在の核心であり、純粋なエネルギーもしくは根源物質です。それと意識的に一体化すれば、それを一極に集中させ、その創造エネルギーのパワーを用いることが可能になります。

27

思考は創造的な波動です。生み出される状態の質は思考の質に左右されます。なぜなら、わたしたちは持っていないパワーは表現できないからです。わたしたちは「する」前に「存在」しなければなりません。「存在」する程度に応じて「する」ことができます。ですから、わたしたちがすることはわたしたちがどれだけ「存在」しているかに必然的に一致します。そして、わたしたちがどれだけ存在できるかは、わたしたちの「考え方」に影響されます。

28

思考は原因ですから、あなたは考えるたびに、原因の列車を発車させることになります。それが何を生み出すかは、思考の質によって決まります。宇宙精神と調和する思考はそれに対応する状態を結果的にもたらします。破壊的な思考や調和を失った思考はそれに対応する結果を生み出します。あなたは思考を建設的に用いるかもしれませんし、破壊的に用いるかもしれません。しかし、一方の思考の種を蒔いて、他方の果実を収穫することはありえないというのが永遠不変の法則なのです。あなたはこの驚くべき創造のパワーを意のままに使うことができますが、結果を引き受けなければなりません。

29

意志力と呼ばれるものの危険性はそこにあります。意志の力によってこの法則を意のままにできると考えているらしい人たちがいます。一方の種を蒔き、「意志力」によって他方の果実を実らせることができると考えるのです。しかし、創造的パワーの根本原理は宇宙精神の中にあります。したがって、個人の意志の力によって結果をわたしたちの願望に無理やり従わせるという考えは、転倒した考えです。しばらくは成功するように見えるかもしれませんが、最終的には失敗するよう定められています。なぜなら、それが追い求めているパワーそのものに敵対するからです。

30

それは宇宙精神を意のままにしようとする個人の試みであり、有限なるものと無限なるものとの衝突です。わたしたちの永続的な健康は、絶え間なく前進する偉大な全体と意識的に協調することによって、達成されるでしょう。

31

今週のエクササイズは、沈黙の中に入り、「わたしたちは彼のうちに生き、動き、存在する」が文字通り、科学的に正しいという事実に集中します。あなたは彼が存在するゆえに存在します。もし彼が偏在するなら、あなたの中にも存在するにちがいありません。もし彼が全体であるなら、あなたは彼の中にいなければなりません。彼は宇宙霊であり、あなたは「彼の似姿」に作られています。彼のスピリットとあなたのスピリットとの唯一の違いは規模の違いです。部分は種類も質も全体と同じでなければなりません。このことを鮮明に悟ることができれば、創造的な思考の力の秘密、善悪の起源、目を見張らせる集中力の秘密、身体、金融、環境にまつわるあらゆる問題を解決する鍵を発見できるでしょう。

論理的に深く鮮明に考える力は、過ち、へま、迷信、非科学的理論、不合理な信念、放埓な情熱、狂信に公然と反旗を翻す致命的な敵である。

――ハドック

第21週

人間は平等である

二一週目のレッスンをお届けします。本章では、「成功の秘訣の一つ」が大きなことを考えることだということを説明します。

また、「わたしたちが一定の時間、意識にとどめておくすべてのものは潜在意識に刻印され」、創造的エネルギーによって人生へと呼び入れられるという話をします。実は、それが祈りの素晴らしい力の秘密なのです。

わたしたちは宇宙が法則によって治められているのを知っています。すべての結果には原因があること、同一の原因は、同じ状態の下では、必ず同じ結果を生み出すことを知っています。

ですから、かつて祈りが答えられたことがあるなら、適切な条件さえ整えば、祈りは常に答えられるはずです。そうでなければ、宇宙はコスモス（秩序）ではなくカオス（混沌）になってしまうでしょう。つまり祈りの答えは法則に従うのです。この法則は、引力や電気を司る法則と同じように、正確で科学的なものです。この法則を理解したことによって、キリスト教は迷信やまやかしの領域からぬけだし、しっかりとした科学的な基盤を持つようになったのです。

しかし、残念なことに、祈り方を知っている人はほとんどいません。彼らは電気、数学、化学を司っている法則があることは理解していますが、なぜかスピリチュアルな法則もあることや、それらの法則がやはり科学的に正確で、狂いのない精度で働いているとは少しも考えないのです。

真のパワーを持つ秘訣は、自分の中にあるパワーを意識することです。宇宙精神は無条件です。したがって、この精神との一体性を意識するようになればなるほど、条件や限界を意識しなくなります。さまざまな条件から解放されると、無条件なものを自覚できるようになります。自由になるのです！

2

内面世界に無尽蔵のパワーがあることを意識するようになったとたん、わたしたちはそのパワーを引き出して使い始め、より大きな可能性を育むようになります。というのも、わたしたちが意識したものは何でも、必ず客観的世界に顕れ、手に触れられる表現を生み出すからです。

3

それは、万物の源である無限の心が、一つの分けられないものであり、個人はこの永遠のエネルギーが顕在化するそれぞれの回路だからです。わたしたちの考える能力はこの根源物質に働きかけることができる能力です。わたしたちが考えることとは、客観的世界に生み出されるものです。

4

この発見の結果はまさに驚異で、心の無限の可能性をほのめかすものです。宇宙精神は言わば通電中の電線であり、あらゆる個人の人生で生じうるあらゆる状況に見合うだけのパワーを運んでいます。個人の心が宇宙精神に触れると、必要なパワーのすべてを受け取るのです。それが内面世界です。すべての科学はこの世界の実在性を認めます。あらゆるパワーはこの世界を認められるかどうかにかかっています。

5

身の回りの不愉快な状況を変えたいと思うなら、心の姿勢を変えるしかありません。そのためには、自分にパワーがあることを意識しなければなりません。あらゆるパワーの源との一体性を意識するようになればなるほど、もろもろの状態を制御する力も大きくなります。

6

大事の前では小事がかすんでしまう傾向があります。ですから、些細なことやつまらないことに心を奪われ悩まされているなら、何か大きなことを考えてみるといいでしょう。そうすれば、心の許容量が増すだけではなく、価値のあることをやり遂げる立場に自分自身を置くことになります。

7

実はそれが成功の秘訣の一つなのです。人生に勝利し、偉大な達成者になる方法の一つでもあります。心の創造的エネルギーは小さな状況を扱うのに苦労しないのと同様、大きな状況を扱うことにも苦労しません。心は無限に小さいものの中同様、無限に大きいものの中にも同程度に存在します。

8

心に関するこうした事実を悟れば、心のありようでどんな状態にもなれることがわかります。というのも、わたしたちが一定の時間、意識にとどめておくすべてのものは潜在意識に刻印され、創造的エネルギーが人生や環境に呼び入れる一つのパターンになるからです。

9

このようにして、さまざまな状態が生み出されます。そしてわたしたちは自分の人生が心に抱く顕著な思考や精神的な態度の反映にすぎないことを思い知らされます。その時、正しい思考の科学こそ唯一の科学であり、他のすべての科学を含んでいることに気づきます。

10

この科学を通して、わたしたちはあらゆる思考が脳に印象を刻み込むこと、それらの印象が心の傾向を生み出し、その傾向が性格、能力、目的を生み出し、性格、能力、目的を組み合わせた活動が人生で出会う経験を決定することを学びます。

11

これらの経験は引き寄せの法則を通してやってきます。引き寄せの法則の働きを通して、わたしたちは内面世界に対応する経験を外の世界であるのです。

12

優勢な思考や心の姿勢は磁石として働きます。「似たものが似たものを引き寄せる」という法則が働く結果、いつも取っている心の姿勢が、それに対応する状況を必ず引き寄せるのです。

13

この心の姿勢はわたしたちの人格であり、わたしたちが心の中に生み出してきた思考からなっています。ですから、状況を変えたければ、思考を変えさえすればいいのです。それがわたしたちの心の姿勢を変え、ひいては人格を変え、わたしたちが人生で出会う人間、物、状態、経験を変えていきます。

14

心の姿勢を変えるのは容易なことではありません。でも、努力を続ければできます。心の姿勢は脳に焼きつけられてきたイメージ（心象）に倣《なら》ってパターン化されています。もしそのイメージが気に入らなければ、否定的なイメージを破壊し、新しいイメージを作ってください。それを可能にしてくれるのがビジュアリゼーションの技術です。

15

新しいイメージを脳裏に焼きつけることに成功すれば、すぐに新しい物事を引きつけ始めるでしょう。そのため、あなたが現実化したい願望の完璧なイメージを心に刻みつけ、結果が得られるまでそのイメージを抱き続けましょう。

16

もしその願望が決断、能力、才能、勇気、パワー、その他のスピリチュアル・パワーを必要とするものなら、イメージにそれらの要素を組み込むことを忘れないでください。それらは思考と結びついた感情であり、あなたが必要なものを引き寄せるための強力な磁力を生み出します。同時に、イメージに生命を与えます。生命は成長を意味します。ですから、成長し始めるとすぐに、実質的な結果が保証されます。

17

何をするにしても、最高点に到達したいと願うことをためらってはなりません。なぜなら、心の力は目的を持った意志に力を貸し、もっとも強い願望を実現させる準備を絶えずしているからです。

18

心の力がどのように働くかは、わたしたちの習慣が形成されるプロセスにはっきりと示されています。わたしたちが一つのことを何度も繰り返しやっていると、それはだんだん簡単になり、ほとんど自動的にできるようになります。それが習慣の形成されるプロセスです。悪い習慣を破る場合にも同じルールがあてはまります。習慣になっていても、やるまいと決意して、やらずにいれば、やがてそれから完全に自由になれるのです。一度、挫折しても、希望を失ってはいけません。なぜなら、その法則は絶対無敵なものであり、たとえ間を置いても、努力を続けていれば、必ずよい結果をもたらしてくれるからです。

19

この法則があなたのためにできることには限界がありません。どうか自分の理想を信じてください。自然が理想に反応することを覚えておいてください。理想をすでに達成された事実と考えるのです。

20

人生の本当の戦いは観念の戦いです。それは多数派対少数派の戦いです。一方の側には、建設的、創造的な思考があり、もう一方の側には、破壊的、否定的な思考があります。創造的思考は理想によって支配され、受動的思考は外観によって支配されます。どちら側にも、科学者、文学者、実務家がいます。

21

創造的な側には、実験室で過ごす人や望遠鏡や顕微鏡を覗いて過ごす人がいて、商業、政治、科学の世界を支配している人たちと共存しています。否定的な側には、法則や先例を調べることに時間を費やしている人、神学を宗教と取り違える人、権力を権利と取り違える政治家、進歩より先例を好み、いつも前ではなく後ろを見、外の世界だけ見て、内面世界のことを何も知らない何百万人もの人がいます。

22

煎じ詰めれば、この二つしか派閥はありません。すべての人間はいずれかの側に身を置くのです。前進するか、後戻りするかしかないのです。すべてが動いている世界の中では、立ち止まれないのです。任意の不平等な規範に認可と力を与えるのは、立ち止まろうとする試みなのです。

23

わたしたちが過渡期にいることは、至るところに見られる不安が証明しています。不平、不満は今のところ低い声で囁かれていますが、そのうちに調子を上げ、天と地を切り裂く雷の轟音になるでしょう。

24

産業、政治、宗教の最先端の地域をパトロールする守衛たちは心配そうに「どんな様子だった？」と囁きあっています。彼らが維持しようとしている立場が危険と不安にさらされつつあることが、時間を追うごとに明らかになっているのです。「既存の物事の秩序はもはや続かないだろう」。新しい時代の夜明けが、そう宣言する日が必ずやってきます。

25

古い制度と新しい制度の問題は難しい社会問題ですが、それは自然の性質に関する信念の問題です。宇宙のスピリットないし心の超越的な力が各人の中に備わっていることをみんなが悟れば、少数の特権者ではなく、多くの人の自由と権利を保障する法律を作ることが可能になるでしょう。

26

宇宙のパワーを非人間的なパワーとみなしている限り、一部の特権階級の人たちが、自らの権力の正当性を主張して社会を牛耳るのは比較的簡単なことでしょう。したがって、民主主義の真の関心は、すべての人間が神から授けられたスピリットを持っていることを認め、明らかにすることでなければなりません。一部の特権階級だけではなく、すべての人が同じようにスピリチュアルなパワーを持っているのです。ただ、それを認識できる人とできない人がいるのです。一部の者だけが神に選ばれ、特権を授けられているという教えこそ、あらゆる不平等を生み出す元凶なのです。

27

神の心は宇宙精神です。宇宙精神は例外を作らないし、えこひいきしません。それは気まぐれでもなく、怒り、嫉妬、復讐などから行動することもありませんし、幸福や生存のための請願に心を動かされたりすることもありません。他方で、同情に屈することもありません。神の心は誰かをえこひいきするといった例外を作りませんが、宇宙の原理との一体性を理解し、認識している人は優遇されているように見えます。というのも、そういう人は健康、富、パワーの源泉を発見するからです。

28

今週のエクササイズは、真実への集中です。真実があなたを自由にすること、つまり、科学的に正しい思考の方法や原理を用いることを学べば、あなたの成功の道に立ちはだかるものは永遠にありえないことを曇りなく認識する努力をしてください。あなたが人生で現実化しようとしているものが、生まれながらに魂に潜在していることを認識してもらいたいのです。沈黙に浸ることが、魂の中の真実に触れる機会になります。全知全能の神そのものが絶対的な沈黙であること――他のすべては変化、活動、限界であること――を理解して欲しいのです。ですから、沈黙の中で思考に集中することが、素晴らしい内面世界の潜在力に触れ、それを目覚めさせ、表現する真の方法なのです。

思考を訓練してもたらされる可能性は無限であり、その結果は永遠である。だが、ほとんどの人は自分のためになる回路に思考を導く労をとらず、すべてを偶然に任せてしまう。

――マーデン

第22週

波動の法則

思考はスピリチュアルな種子であり、潜在意識に植えれば、芽を出して成長します。けれども、不幸なことに、その果実はわたしたちの気に入るものであるとは限りません。気に入らない場合が多いのです。

さまざまな形の炎症、麻痺、いら立ち、病気は、一般的に恐れ、心配、注意、不安、嫉妬、憎悪などの顕れです。

生命の営みは、二つの明確なプロセスから成っています。一つは細胞を作るのに必要な栄養物を摂取し、活用することです。もう一つは、廃棄物を破棄して排出することです。

すべての生命の営みは、これらの建設的活動と破壊的活動に基づいています。細胞の構築に欠かせないのは、食べ物、水、空気だけなので、生命を無限に引き延ばす問題はさほど難しくないように思われます。

不思議に思えるかもしれませんが、すべての病の原因になるのは、まれな例外を除いて、二番目の破壊的な活動です。廃棄物は蓄積して、組織を満たし、自家中毒を引き起こします。これは部分的なこともあれば、全体的なこともあります。前者の場合、障害は局部的です。後者の場合、全身に影響をおよぼします。

ですから、病を癒《いや》すために必要なのは、生命エネルギーを全身にくまなく行き渡らせることなのです。そのためには、恐れ、心配、注意、不安、嫉妬、憎悪、その他の破壊的思考を排除しなければなりません。それらの思考は、有毒な廃棄物の排出を制御する神経や腺を破壊する傾向があるからです。

「栄養のある食べ物や強壮剤」は生命エネルギーを全身に行き渡らせることはできません。なぜなら、それらはあくまでサプリメントにすぎないからです。命の源はどこにあるのか、どうすればそれに触れられるのかをこの章で説明していきます。

1

知識はお金では買えない価値を持っています。なぜなら、知識を適用して、わたしたちは望みの未来を作れるからです。わたしたちの現在の性格、現在の環境、現在の能力、現在の身体の状態がすべて過去の思考方法の結果であることを知れば、知識の価値がおのずとわかってくるでしょう。

2

もし健康状態が好ましくなければ、自分の思考方法を調べてみてください。すべての思考が心に印象を刻むことを覚えておきましょう。すべての印象は一つの種子であり、潜在意識に浸透して一つの傾向を生み出します。その傾向は他の同様な思考を引き寄せるようになります。知らず知らずのうちに後で刈り取ることになる種を蒔いているのです。

3

これらの思考が病原菌を含んでいれば、病気、健康の衰え、弱々しさ、失敗などを収穫することになるでしょう。問題は、わたしたちが何を考え、何を生み出し、何を収穫するかということです。

4

もし身体の状態を変えたいなら、イメージを用いる方法が役に立つでしょう。非の打ち所のない健康な身体をイメージし、潜在意識に浸透するまで想像し続けてください。多くの人がその手法を使い、短期間で慢性的な疾患を追放してきました。何千人もの人がこの手法を使って数日以内に、そして時には数分でさまざまな身体的障害を克服し、追い払ってきたのです。

5

心が波動の法則を通して身体に働きかけ、制御するのです。すべての心の活動が波動であるとわたしたちは知っています。あらゆる形が一つの運動様式、すなわち波動周波にすぎないことをわたしたちは知っています。与えられた波動は即座に身体のすべての原子を修正します。すると、すべての生命細胞が影響され、全身に生化学的変化が引き起こされます。

6

宇宙のすべては波動のおかげで存在しています。波動の周波数を変えれば、その性質や形を変えることができます。広大な自然は、目に見えるものも見えないものも、ただ波動の周波数を変えることによって、絶えず変化しています。思考は一つの波動ですから、わたしたちもこのパワーを使えます。わたしたちは波動を変えて、自分の身体に現れて欲しいどんな状態でも生み出せるのです。

7

誰でもいつも、このパワーを使っています。問題なのは、たいていの人がそれを無意識に使って、好ましくない結果を生み出していることです。賢く使えば、望ましい結果だけを生み出せるようになるのです。これは難しいことではありません。誰でも、経験上、何が身体に楽しい波動を生み出すかを知っているからです。不快な感覚を生み出すもろもろの原因も知っています。

8

必要なのは自分自身の経験に相談してみることだけです。高揚、進歩、建設的、高貴、親切、その他の好ましい性質の思考を抱けば、それに応じた結果をもたらす波動がセッティングされます。思考が妬み、憎悪、嫉妬、批判、その他の不和で満たされれば、異なった結果をもたらす波動が生み出されます。こうした波動はいずれも、一定期間維持されれば、形として結晶化します。前者では、結果は精神的、道徳的、身体的な健康として現れ、後者では、不和、不調和、病という結果がもたらされます。

9

その時、心が身体に及ぼす影響力についてある程度知ることができます。

10

顕在意識が身体に及ぼす影響は簡単に認められます。誰かがあなたに滑稽《こっけい》なことを言うと、あなたは笑い、たぶん全身を震わせるでしょう。それは、思考があなたの身体の筋肉に影響を及ぼすことを示しています。あるいは、誰かがあなたの同情を誘うようなことを言い、あなたの目に涙が溢れたとしましょう。それは思考があなたの腺に影響力を及ぼすことを示しています。誰かがあなたを怒らせるようなことを言って、あなたが頰を紅潮させたとすれば、思考があなたの血液循環に影響力を及ぼすことを示しています。しかし、これらの経験はすべて顕在意識が身体に及ぼす影響の結果なので、その結果は一過性で、すぐに過ぎ去り、元の状況に戻ります。

11

では、潜在意識の働きが身体に及ぼす影響がどう違うかを見てみましょう。あなたが傷を負ったとします。何千という細胞が一斉に癒す働きを開始します。そして数日以内に、あるいは数週間で傷を癒します。骨を折ったとしても心配はありません。外科医は誰も折れた骨を接《つ》ぐことはできません。ただ折れた部分をくっつけて固定させるだけです。すると、潜在意識が即座に接合させるプロセスを開始させます。そして、短期間で骨はかつての骨に戻るのです。あなたが毒を飲み込んだ場合はどうでしょう。潜在意識が即座にその危険を察知し、それを排除するために猛烈な努力をします。危険な菌に感染した場合には、潜在意識がすぐに感染した部分の周囲に壁をめぐらせ、白血球の中にそれを吸収することによって感染を撃墜します。

12

潜在意識のこうしたプロセスは普通、わたしたちの個人的な知識や指示がなく進行します。わたしたちが邪魔をしない限り、結果は完璧です。ところが、これらの何百万という修理細胞はすべて知性を持っており、わたしたちの思考に反応するので、わたしたちが恐れ、疑い、不安といった思考を抱くと、しばしばそれらによって麻痺させられたり、無能力化されたりします。それらの細胞は仕事をする準備をしているのに、なかなか仕事が手につかない労働者の団体に似ています。仕事に着手するたびに、ストライキが発令されたり、プランが変えられたりし、しまいにはやる気をなくしてあきらめてしまうのです。

13

健康への道はあらゆる科学の基礎である波動の法則の上に打ちたてられます。この法則は心すなわち「内面世界」によって動かされます。それは個人の努力と訓練の問題です。わたしたちのパワーの世界は内部にあります。ですから、外側に現れた結果をいじくり回しても、時間と労力を無駄にするだけだということを肝に銘じておくべきです。

14

原因は常に「内面世界」にあります。原因を変えれば、結果も変わります。

15

身体のあらゆる細胞は知性を持っており、あなたの指示に従います。細胞はすべて創造者であり、あなたが与えるパターンを正確に生み出します。

16

ですから、健康のイメージを主観意識（潜在意識）に伝えれば、創造的エネルギーが完璧な身体を作り上げるでしょう。

17

脳細胞も同様に組み立てられます。脳の質は心の状態や姿勢に左右されるので、もし好ましくない心の姿勢が主観に伝えられると、同時に身体にも伝えられます。したがって、もし健康で力強く生命力に溢れた身体を望むなら、そのような思考が優勢でなければなりません。

18

身体のすべての要素が波動の結果であることをわたしたちは知っています。

19

精神的な活動が波動であることも知っています。

20

高周波の波動が低周波の波動を支配、修正、制御、変更、破壊することもわかっています。

21

波動の周波数が脳細胞の性格によって左右されることも知っています。

22

そして最後に、脳細胞の作り方も知っています。

23

ということは、身体に望ましい変化を引き起こす方法も知っているということです。そこまで心の力の影響力がわかれば、全能である自然の法則と調和するわたしたちの能力に、ほぼ限界がないことがわかります。

24

心が身体に影響を及ぼすことは、ますます広く認められるようになっています。現在、多くの医師がそのことに熱い視線を送っています。このテーマに関する重要な本を何冊か書いたアルバート・T・ショフィールド医学博士はこう言っています。「精神療法というテーマは、医学界ではまだ無視されています。われわれの生理学では、身体の健康を維持しようとして働いている精神的な力への言及がなされていません。心のパワーが身体に影響を及ぼすという事実は、一部の人には知られていますが、一般にはまだ知られていないのです」

25

多くの医師が気質的な欠陥を伴わない神経の病を上手に扱っていることは間違いありません。けれども、わたしたちが言いたいのは、彼らが示す知識が学校で教えられたものでも、本から学んだことでもなく、直観的で経験的なものだということなのです。

26

これはあるべき姿ではありません。心の治癒力は、すべての医学校で学ぶ科学的テーマの一つに加えるべきものです。そうすれば、治療ミスや治療不足の問題は激減するかもしれません。

27

自分自身でどれだけのことができるかを知っている患者がほとんどいないことは疑いようのない事実です。患者が自分自身で何ができるか、どんな力を発揮できるかはまだ知られていません。患者の持つ力は想像以上に大きく、今後、間違いなくもっと使われるようになると思います。今後、精神的に病んだ患者たちは、喜び、希望、信念、愛といった感情を呼び覚ます、動機をはっきりさせる、定期的に心の鍛錬をする、病気のことを考えるのをやめるといった方法で、心の治癒力をもっと活用するようになるかもしれません。

28

今週のエクササイズは、テニソンの美しい詩に注意を集中します。

「汝、神に語りかけよ。
神がそれを聞けば、
魂と魂が出会い、
吐息よりも近く、
手足よりも身近に、

神を感じるだろう。」

あなたが「彼に話しかける」時、全能の神に触れるのだということを理解するよう努めてください。

29

宇宙の隅々にまで行き渡っているこのパワーを自覚し認識すれば、あらゆる病や苦しみがあっという間に破壊され、調和と完璧さが取って代わるでしょう。その時、病や苦しみが神から送られてくると考えている人たちがいることを思い出してください。もしそれが本当なら、すべての医師、外科医、赤十字の看護師は神の意志を拒んでいることになるでしょう。そして病院や療養所は慈悲の家ではなく、反抗の場所ということになるでしょう。もちろん、すぐにばかげていることがわかるでしょうが、そうした考えを大切にしている人たちがたくさんいるのです。

30

最近まで、神学は創造主が罪を犯すことのできる存在を生み出し、永遠に罰することを許したと教えてきました。そのような無知な考えは愛の代わりに恐怖を生み出すという必然的な結果をもたらしました。二千年にわたってそうした宣伝をしてきた後、現在、神学はキリスト教に謝罪することに汲々としています。

31

神が愛の源だとわかれば、あなたは理想的な人間——神の似姿に作られた人間——をもっと喜んで評価するようになるでしょう。また、万物を形作り、支え、維持し、創造し、生み出す宇宙精神をもっとたやすく評価するようになるでしょう。

「すべては一つの素晴らしい全体、神の部分にすぎません」

――ローマ法王

チャンスが知覚の後に、行為がインスピレーションの後に、成長が知識の後に、卓越が進歩の後に続きます。常に霊的なものが最初にあって、その変容が限りない達成の可能性を切り開くのです。

第23週

お金と
スピリチュアリティ

この章では、お金が人生の基盤を作ること、成功の法則は奉仕であること、わたしたちは与えるものを受け取るので、与える能力があることを特権とみなすべきだということをお話ししていきます。

これまでの章で思考があらゆる建設的な企ての背後にある創造的な活動であることを見てきました。わたしたちが与えられるもので、思考以上に実用的な価値があるものはありません。

創造的思考は注意を必要とします。注意の力はすでに見たように、莫大なものです。注意は集中力を養い、集中力はスピリチュアルなパワーを養います。スピリチュアル・パワーは存在するものの中でもっとも強い力なのです。

いまに述べたことは、あらゆる科学を包含する科学だと言っていいでしょう。それは人生を根本から改善する技術でもあります。この科学と技術を習得すれば、限りなく進歩するチャンスが開かれます。もっとも、六日や六週間で、あるいは六ヶ月で完璧に習得することはできません。それは一生の仕事なのです。前進しないことは後退することを意味します。

肯定的で建設的な、人のためになる思考を抱けば、必ずよい結果がもたらされます。宇宙の施律は絶妙なバランスから成り立っています。何かを送り出したら、何かを受け取らなければなりません。さもないと、真空が生じてしまいます。このルールを守って努力すれば、利益を得ることに失敗することはありえません。

I

お金の意識は一つの心構えです。それは商取引の大動脈への入り口となります。願望は流れを生み出す引力となり、恐れは流れを止めたり、逆流させたりする大きな障害となります。

2

恐れはお金の意識とは正反対のものです。それは貧困の意識です。法則は不変なので、わたしたちは与えるものをそっくり受け取ります。もし恐れを抱けば、恐れたものを受け取ります。お金はわたしたちの人生の基盤を形作り、優れた知性の持ち主の最高の思考を引き寄せます。

3

お金と友人は切っても切り離せない関係にあります。友人がたくさんいれば、それだけお金が入ってくるチャンスが増えます。ただし、友人の輪を広げるには、自分の利益ばかり考えるのではなく、友人の利益になることを考えなければなりません。成功の第一法則は奉仕なのです。それは誠実さや正義の上に築かれます。私腹を肥やすことばかりに夢中な人間は、単に無知であるにすぎません。基本的な交換法則をつかみそこねているのです。そのような人間は無能で、確実に負けます。そのことに気づかず、自分は勝っていると思うかもしれません。けれども彼は、確実な敗北を運命づけられています。無限なるものを騙すことはできません。補償の法則は彼に「目には目を、歯には歯を」を求めるでしょう。

4

生命の力はじっとしていません。思考や理想を生み出したかと思うと、それらは絶えず形を取ってこの世に現れ出ようとします。大切なのは、心を開け放ち、絶えずチャンスを窺《うかが》って新しいものに手を伸ばし、目標ではなくレースに興味を抱くことです。というのも、楽しみは所有することではなく、追いかけることにあるからです。

5

あなたはお金を自分の欲しいものを引き寄せる磁石として使うことができます。そのためにはまず、どのようにしたら他人のためにお金を作れるかを考えなければなりません。価値のあるものを見分け、チャンスをものにする洞察力を培えば、それなりの成功を収められるかもしれませんが、最大の成功のチャンスはあなたが他人を助けられる時に訪れます。一人を利するものは万人に利益をもたらさなければならないのです。

6

寛大な思考は力強さと生命力に満ちています。利己的な思考は腐敗の菌を含んでいます。それは崩壊し、消えていきます。モルガンのような偉大な資産家は富の分配の単なる回路にすぎません。莫大な富が入ってきて、出ていきますが、富の流入を止めるのが危険であるのと同じように流出を止めるのも危険です。出入り口を両方とも開けたままにしておかなければなりません。受け取ることと同じように与えることが不可欠であることを認識すれば、最大の成功が訪れるでしょう。

7

万物の供給源である全能のパワーを認識すれば、わたしたちの意識をその供給源に合わせ、必要なものを何でも供給してもらえるようになるでしょう。そして、与えれば与えるほど、得ることに気づくでしょう。ここでの「与える」は奉仕という意味を含んでいます。銀行家はお金を、商人は品物を、作家は考えを、労働者は技術を与えます。誰でも何かしら与えるものを持っていますが、多くを与えることができればできるほど、多くを得るようになり、多くを得るようになればなるほど、多くを与えることができるようになります。

8

資産家が多くを得るのは、多くを与えるからです。彼は自分自身で考えます。自分に代わって他人に考えさせるようなことはしません。彼はさまざまな結果を予測し、数百、数千の人たちが利益を得る手段を講じます。自分の成功が多くの人の成功にかかっているのを知っているからです。モルガン、ロックフェラー、カーネギーなどがお金持ちになったのは、他人のために自分のお金を使ったからではなく、他人のためにお金を作ったからで、それで地上でもっとも豊かな国のもっとも裕福な人間になったのです。

9

世間一般の人は熟慮することがありません。オウムと同じように、他人の考えを受け入れ繰り返すのです。世論がどのように形成されるかを見れば、容易に理解できます。自分に代わり少数の人々に考えてもらおうとするこうした大衆の従順な態度こそ、多くの国々で、少数の者が権力を独占し、大衆を支配することを可能にさせているものなのです。創造的思考は注意を必要とします。

10

注意の力は集中と呼ばれます。この力は意志によって導かれます。ですから、わたしたちは自分が願望する以外のものに集中したり、考えたりしてはいけません。多くの人は悲しみ、損失、あらゆる種類の不和といったものに集中してしまいます。思考は創造的なので、そのような集中は必然的に、より多くの損失、悲しみ、不和に導きます。そうならざるをえないのです。他方、わたしたちは成功、利益の獲得、その他の好ましい状態に遭遇すると、自然にそれらがもたらす結果に集中することで、それらをもっと引き寄せるようになります。こうして、より多くを持つものがもっと多くのものを引き寄せることになるのです。

11

この原理をビジネスの世界にどう生かすかについて、アトキンソン氏は『進んだ思考』の中でうまいことを言っています。

12

「スピリットは他にどんな呼び方をしようとも、意識の精髄、心の本質、思考を支える実在と考えなければなりません。すべての観念は意識、心、ないし思考の活動の局面なので、究極の事実や真実はスピリットの中にのみ見いだされます」

13

このことを認めるなら、スピリットやそれが顕現する法則を真に理解することは、「実利を重んじる」人間にとって、きわめて「実用的」だと考えていいのではないでしょうか。「実利を重んじる」人々がこの事実を悟ることができたら、霊的な法則を知ることに「必死」になるでしょう。それは愚かなことではありません。物事を達成することの基本的意義を把握する必要があるだけなのです。

14

具体的な例をあげましょう。シカゴに、わたしがかなり唯物的だと考えていた一人の男性がいます。彼は人生でいくつかの成功を収めてきました。そして、何度か失敗もしました。前回、彼と会って話をした時、かつてのはぶりの良い時に比べ、「落ちぶれて」いました。実際、「にっちもさっちもいかない」状態に陥っているように見えました。というのも、すっかり中年の段階に達し、以前ほど新しいアイディアが次々に湧かなくなっていたからです。

15

彼は実際にこう言いました。「ビジネスで『うまくいく』ことはすべて思考の結果だということはわかっているんだ。どんな馬鹿でもそれは知ってるよ。わたしは今、思考や良いアイディアが不足しているように思うんだ。でも、この『すべては心次第』という教えが正しかったら、個人が無限の心と『直接つながる』ことが可能なはずだ。そして、無限の心の中には、ビジネスの世界で活用して大成功を収められる、あらゆる種類の良いアイディアが含まれているにちがいない。それはわたしにとって好都合だ。わたしはそれを探しているところなんだ」

16

それは五、六年前のことでした。先日、この男性の噂を聞きました。ある友人に尋ねたのです。「わたしたちの旧友Xはどうしてる？　ふたたび立ち直ったのかな？」その友人はビックリした顔でわたしを見ました。「えっ！」と彼は言いました。「Xの大成功について君は知らないの？　彼は某社（過去一八ヶ月間、記録的な成功を収め、その大々的な広告のため、国内だけではなく海外にまで名を馳せている会社）の大物になっているよ。彼はその事業で大掛かりな構想を提案した人物なんだ。なんと、すでに五〇万ドルぐらいもうけているのに、あっという間にもうけが膨らみ、今や百万ドルにせまりつつあるんだ。この一八ヶ月の間だけでだよ」。わたしは話に出た企業とこの男性とを結びつけて考えたことがありませんでした。でも、問題の会社が素晴らしい成功を収めたのは知っていました。調べてみた結果、話が本当であることがわかりました。先に述べられた事実はいささかも誇張されていなかったのです。

17

さて、このことをあなたはどう考えるでしょう？　わたしにとっては、この男性が実際に無限の心――スピリット――と「直接つながった」ことを意味します。スピリットを自分のために働かせたのです。言い換えれば、「それをビジネスに活用した」のです。

18

神を冒瀆しているかのように聞こえるでしょうか？　そうでないことを望みます。わたしはそんなことを言おうとしているのではありません。ここで言う「無限の心」とは、誰の中にもあるスピリットを指しています。この男性も、最終的にはスピリットの化身と考えなければなりません。スピリットである彼が、自らの源と調和し、多少なりともそのパワーを顕在化させたという考えには、神を冒瀆する要素は一切ありません。心を創造的な思考の方向で用いる時、誰でも多かれ少なかれそれをするのです。この男性はもっと多くのことをしました。真剣に「実用的な」方法でそれに取り組んだのです。

19

彼がどんな方法を使ったか本人から聞いていませんが、チャンスがあったら聞いてみるつもりです。彼は（成功の種子になった）必要なアイディアを求めて、無限の供給源に近づいただけではなく、思考の創造的パワーを用いて自分が物質化して欲しいと願うものの理想的なパターンを作り上げ、細部に修正を加えて完成させたのです。わたしはこの話を事実として受けとめます。数年前に交わした会話だけからそう判断するのではありません。同じように創造的な思考を現実化させた他の卓越した人々のケースでも、同様な現象を見てきたからです。

20

現実の仕事に無限のパワーを活用するという考えにしりごみしてしまいやすい人は、少しでも無限の心の反対にあったら、何事もなしえないことを覚えておくべきです。無限の心はわたしたちの心の持ち方次第で、大きな助けにもなれば、障害にもなるのです。

21

「スピリチュアリティ」はきわめて「実用的」なものです。それは、スピリットが本物であり、全体であること、物質は、スピリットが意のままに創造、鍛造、操作することができる可塑的な素材にすぎないことを教えてくれます。スピリチュアリティはこの世でもっとも「実用的」なものなのです。

22

今週は、人間がスピリットを持った身体ではなく、身体を持ったスピリットだという事実に集中します。人間の願望がスピリチュアルなものではないものに永遠に満たされることがありえないのはそのためなのです。したがってお金は、もしわたしたちが願望する状態をもたらさなければ、何の価値もありません。それらの状態は調和していなければなりません。調和した状態は絶えずバランスを取り戻そうとします。したがって、少しでも不足が生じると、供給の回路が開かれ、不足が解消されるようできているのです。

ある目的にそって計画的に秩序づけられた思考はその目的を固定された形に成熟させるため、わたしたちはダイナミックな実験の結果を完璧に予想できることを発見しました。

——フランシス・ラリマー・ワーナー

第24週

心の錬金術

ここに最後のレッスンをお届けします。

これまで提案してきたエクササイズを毎日数分間やってきたなら、自分が願望するものを強く心の中で望めば、手に入れられることがわかったでしょう。そんなあなたは「思考の力は絶大であり、その有用性は計り知れません」というこのシステムの履修生の言葉に同意するはずです。

思考の法則に関するこの知識は、いわば神の贈り物だと言ってもいいと思います。それは人間を解放する「真実」なのです。あらゆる不足や限界から自由にしてくれるだけではありません。悲しみ、不安、心配からも自由にしてくれます。この法則が一部の人たちのためだけではなく、どんな思考習慣を持っている人にも平等に働くというのは素晴らしいことではないでしょうか？　道は万人に用意されているのです。

もしあなたが宗教的なことに興味を持っているなら、世界の偉大な宗教家たちが誰にでもわかる明確な道を示してくれていることに気づくでしょう。自然科学を好んでいるなら、その法則が数学的な確実さで働いていることがわかるでしょう。もし哲学的な傾向があるなら、プラトンやエマソンの書をひもといてみてください。いずれにせよ、あなたは無限のパワーを欲しいままにできる段階に達することができるのです。

この原理を理解することは、古代の錬金術師たちがむなしく追い求めていたことだとわたしは確信しています。なぜなら、心の中の金をどうやったら掌中の金に変容できるかを解き明かしてくれるからです。

I

一部の科学者たちがはじめて太陽を太陽系の中心に置き、地球が太陽の周りを回っていると主張した時、多くの人々は驚き、狼狽しました。常識的に考えれば、そんなことはありえないことでした。太陽は空の上を確かに動いており、西の山のかなたや、海に沈むのを誰でも見ることができたからです。学者たちは怒り、科学者たちはその考えをばかげたものとしてしりぞけました。ところが、最終的に、すべての人を納得させる証拠が見つかったのです。

2

わたしたちはベルを「音を出す道具」とみなしますが、ベルにできるのは、空中に振動を生み出すことだけだということを知っています。これらの振動が一秒間に一六回の速度に達すると、耳に聞こえる音を生み出します。人間の耳は一秒間に三万八千回の振動音まで聞くことができます。振動数がそれを超えると、ふたたび沈黙が訪れます。ですから、音はベルの中にあるのではなく、わたしたちの心の中にあるのです。

3

わたしたちは太陽を「光を発するもの」と考えます。でも、それが毎秒四百兆の周波数でエーテルに振動を生み出すエネルギーを放出し、光波と呼ばれるものを引き起こしているだけなのを知っています。ですから、わたしたちが光と呼ぶものは単なるエネルギーの一形態にすぎず、波動によって心に生み出された感覚なのです。周波数が増えると、光は色を変えます。わたしたちは薔薇を赤、草を緑、空を青として語りますが、色は心の中にしか存在せず、光波の振動の結果として経験される感覚であるにすぎません。周波数が四百兆以下に下がると、わたしたちはそれを光ではなく、熱の感覚として経験します。したがって、物の真実についての情報を得るのに、感覚の証拠に頼ることができないことは明らかです。もし感覚的な証拠に頼ったら、太陽は地球の周囲を回転しており、地球は平らで、星は巨大な恒星ではなく光の断片であるということになります。

4

あらゆる形而上学の狙いは、自分自身と自分が生きる世界に関する真実を知ることにあります。調和を表現するためには調和を、健康を表現するには健康を、豊かさを表現するには豊かさを考えなければなりません。そのためには、感覚的な証拠に囚《とら》われないようにする必要があります。

5

あらゆる形の病、不調、不足、限界が間違った思考の結果にすぎないことを知れば、「自分を解放してくれる」真実を知るでしょう。どうすれば山を取り除けるかわかるでしょう。その山が疑惑、恐れ、不信、失望からだけでなっているとしても、やはり現実であり、取り除くだけではなく、「海に投げ込む」（マタイの福音書からの引用）必要があります。

6

あなたがしなければならないのは、先に述べた真実を自分に納得させることです。それができれば、願望実現の法則を理解するのにさほど困難を感じないでしょう。これまで明らかにしてきたように、真の思考は生命の原理を含んでおり、自ずと顕れます。

7

心の力で病を癒す人はその真実を知るようになります。彼らは自分の人生や他人の人生で日々それを証明します。命、健康、豊かさが宇宙に偏在し、あらゆる空間を満たしていることを知っているのです。病や不足が現われるのを許す人はこの偉大な法則をまだ理解していないのです。

8

すべての状態は思考の創造物であり、それゆえ完全に精神的なものなので、病や不足は、当人が真実を知覚できない心の状態であるにすぎません。間違いが取り除かれればすぐにその状態も取り除かれます。

9

間違いを取り除く方法は沈黙に浸り、真実を知ることです。すべての人の心は一つなので、自分だけではなく、他人のためにもそれはできます。もしあなたが望みの状態をイメージできれば、それが結果を得るためのもっとも簡単で迅速な方法になるでしょう。もし習得していなければ、自分の発言が真実だと徹底して自分自身に納得させることで、結果を得られます。

10

理解するのはきわめて難しいでしょうが、理解すれば素晴らしい結果を得られます。どんなに困難でも、またどこでどんな人たちに囲まれていようと、癒すべき患者は自分自身しかないのです。自分が現実化して欲しい真実を自分自身に納得させればいいのです。

11

これは存在するあらゆる形而上学の体系に一致する、まさに科学的な説明です。他の方法では、いかなる永続的な結果も得られません。

12

イメージを形成するあらゆる種類の集中、自己納得、自己暗示といったものが、願望を実現する簡単な方法のすべてなのです。

13

たとえばなんらかの不足や限界に悩んでいる誰かを助けたいと思ったとします。その場合、助けると決意するだけで、その人間と精神的に触れ合うことになるので十分です。そうして、自分自身の心から不足、限界、病気、危険、困難といったものと結びついた信念を追い出してください。追い出すことに成功したとたんに、結果が達成され、その人間は自由になるでしょう。

14

けれども、思考は創造的なので、なんらかの不調和の状態に思いが引き寄せられるたびに、そのような状態を生み出すことを覚えておいてください。ただし、そのような状態は見せかけのものにすぎず、現実性を持ちません。実在するのはスピリットだけなのです。

15

すべての思考はエネルギーの形態であり、波動の周波ですが、真実の思考はもっとも高周波の波動であるため、光が闇を壊すのとまったく同じように、あらゆる形の間違いを破壊します。「真実」が顕れると、どんな間違いも存在できなくなります。ですから、あなたの心にとって必要なのは、真実を理解することです。そうすれば、あらゆる形の不足や限界、病の克服が可能になります。

16

わたしたちは外の世界では真実を理解できません。外の世界は相対的なものであるにすぎず、真実は絶対的です。ですから、「内面世界」に真実を見いださなければなりません。

17

真実のみを見るよう心を訓練すれば、真実の状態のみを表現できるようになります。その能力が、わたしたちの進歩を示す指針になるでしょう。

18

「わたし」は完璧で非の打ち所がないというのが絶対の真実です。本当の「わたし」はスピリチュアルなので、完璧でないことなどありえないのです。いかなる不足も限界も病もないのです。天才のひらめきは、脳の分子の動きによって生み出されるのではありません。宇宙精神と一つであるスピリチュアルな「わたし」

によって引き起こされるのです。すべてのインスピレーション（つまり天才的な資質）の原因は、こうした一体性を認識する能力にあるのです。それらの結果は遠くにまでこだまし、これからの世代に影響を及ぼします。何百万人もの人たちが従う道を照らす炎の柱になるのです。

19

真実は論理的トレーニングや実験の結果ではありません。観察の結果でもありません。それは発達した意識の産物なのです。シーザーの中の真実はシーザーの立ち居振る舞いや人生、さらには社会の進歩に影響を与えた彼の行動の中に現われます。あなたの人生や行動、世界への影響力は、あなたがどの程度の真実を認識できるかにかかっています。というのも、真実は信条ではなく行為の中に現れるからです。

20

真実は性格の中に現れます。人間の性格はその人がどんな宗教を信じているかや、その人にとって真実とは何かを表します。そのことが人生の運を左右します。もしある人が運に見放されていることに不平をもらすなら、明白で疑問の余地のない合理的な真実から目をそらすようなもので、自分自身をごまかしているのです。

21

わたしたちの人生の環境や無数の状況、出来事は潜在的な人格の中にすでに存在しています。潜在的な人格が自分の性分に合う精神的な素材や身体的な素材を引き寄せるのです。このようにわたしたちの未来は現在によって決められます。ですから、もし人生に不備な点があるなら、その原因を内部に探り、引き金になっている心の事実を発見する努力をしなければなりません。

22

「わたし」は非の打ち所がない完璧な存在であるという真実をしっかり認識すれば、あなたは「自由」になり、どんな困難も乗り越えられるでしょう。

23

あなたが外の世界で出会う状態は例外なく内的世界で獲得した状態の結果です。ですから、完璧な理想を心に抱き続ければ、確実に自分の周囲に理想的な状態を生み出せるのです。

24

もしあなたが不完全なもの、相対的なもの、限られたものしか見ないなら、それらの状態があなたの人生に現れるでしょう。でも、心を訓練してスピリチュアルな自己――永遠に完璧で非の打ち所がない「わたし」――を見、自覚するようになれば、調和の取れた健全で健康な状態だけが現れるでしょう。

25

思考は創造的であり、真実はもともと高度で完璧な思考です。よって真実を考えれば、真実が抱き寄せられるのは自明のことです。その時、嘘は存在できなくなります。

26 宇宙精神は現存するすべての心の総和です。スピリットと宇宙精神、二つの言葉は同義なのです。

27 あなたが取り組まなければならないのは、心が個人的なものではないことを悟ることです。心はあまねく行き渡っています。どこにでも存在しています。言い換えれば、心がないところはないということです。だから心は普遍的なのです。

28 人間はこれまで、この普遍的な創造原理を指し示すために「神」という言葉を用いるのが一般的でした。しかし「神」という言葉は正しい意味を伝えません。大抵の人はこの言葉を自分自身の外側にあるものを意味すると解釈しています。ところが事実はその正反対なのです。それはわたしたちの人生そのものです。それがなければ、わたしたちは死んでしまうでしょう。存在するのをやめてしまうでしょう。スピリットが身体を去ったとたん、わたしたちは存在しなくなります。したがって、スピリットが実際に存在するもののすべてなのです。

29 スピリットがもつ唯一の活動は考えることです。よって、思考は創造的でなければなりません。スピリットは創造的だからです。この創造的パワーは個人に属するものではありません。あなたの考える能力はそのパワーを制御し、自分や他人のためにそれを活用する能力です。

30

以上のことを理解し、評価できるようになれば、あなたはマスター・キーを手に入れることができるでしょう。でも、次のことを覚えておいてください。理解できるだけの賢さ、証拠を慎重に考慮できるだけの心の広さ、自分自身の判断に従えるだけの堅固さ、必要な犠牲を払えるだけの強さを持っている者だけがそれを手に入れることができるということです。

31

今週は、わたしたちの住んでいる世界が本当に素晴らしい世界であり、あなたが輝かしい存在であることを肝に銘じてください。今、多くの人が真実の知識に目覚めつつあります。神が自分たちのために「備えてくれた」ものが、「目がまだ見ず、耳がまだ聞かず、人の心に思い浮かびもしなかったこと」（コリント人への第一の手紙、2章9節）であることを知れば、人々は自分が栄光に包まれた約束の地にいることに気づくでしょう。その時彼らは判断の河を渡り切って、真実と嘘とを区別する地点に辿りつき、自分がこれまで望んだり、夢見たりしてきたものが、めくるめく真実のおぼろげな概念にすぎなかったことを発見するでしょう。

土地の遺産は代々引き継がれるかもしれませんが、知識や知恵の遺産は引き継ぐことができません。

裕福な人間はお金を払って他人に自分の仕事をしてもらえるかもしれませんが、自分に代わって考えてもらうことや、自分についての知識をお金で買うことはできません。

——S・スマイルズ

訳者あとがき

現在、世界の出版界で、大ブームになっている一冊の本があります。『ザ・シークレット』（角川書店から刊行予定）という本で、オーストラリアの女性ＴＶプロデューサー、ロンダ・バーンが書いたものです。

彼女は、数年前、仕事に行き詰まった時、突然、父親の死に見舞われ、精神的な危機に陥ったのですが、百年ほど前に書かれた本の中に「引き寄せの法則」（Law of Attraction）というものを見つけ、それが人生を動かしている秘密だと確信したと言います。その秘密を多くの人と分かち合いたいとの思いから映画を製作し、インターネットを通して映像を世界に発信する一方、本を書いたのです。

「引き寄せの法則」というのは、心の中で思っていることが自分の環境となって出現するというものです。言い換えれば、人間の内面の状態は磁石のようなもので、それに見合った状況を自分の方に引き寄せるというのです。

そして、この「引き寄せの法則」を最初に提唱したのが、本書『ザ・マスター・キー』（原題は『ザ・マスター・キー・システム』）なのです。『ザ・シークレット』の中には、『ザ・マスター・キー』からの引用が随所にちりばめられています。

著者のチャールズ・ハアネルの履歴に関しては、一八六六年にミシガン州アン・アーバーに生まれ、三〇代の前半から砂糖やコーヒーを扱う事業をはじめ、プランテーションの事業で莫大な富を築いたということぐらいしかわかっていません。ただ、彼の著作から察するに、ヨガの思想に深く傾倒し、自らも実践していたことはほぼ間違いないでしょう。それに加え、哲学、心理学、宗教、科学、生理学など広範な学問に精通していたことが、著書から読み取れます。

ハアネルが『ザ・マスター・キー』を世に送り出したのは一九一七年のことです。当時、アメリカではニュー・ソート・ムーブメントという運動が起こっていて、宗教の枠組みにとらわれずにスピリチュアリティを生活の中に溶け込ませようとする動きが活発だったのです。その時流に乗って、本書は全米で異例の売れ行きを示し、彼の名前を一躍有名にしました。その後、彼は続々と哲学的な自己啓発書を出版したのですが、教会がキリスト教の思想にそぐわないということで彼の著作を発禁処分にしたため、彼の著作はその後、七〇年近く表舞台から姿を消していました。

けれども、『ザ・マスター・キー』で彼が提唱した自己成長の思想は、水面下で生き続け、デール・カーネギーやナポレオン・ヒルといった自己啓発の巨人たちの思想形成に多大な影響を及ぼしたのです。ナポレオン・ヒルは一九一九年四月二一日にハアネルに宛てた手紙の中で、「自分の現在の成功はそのほとんどが、『ザ・マスター・キー』にしたためられた法則を実践したおかげです」と述べています。ハアネルは自己啓発の元祖と言ってもいいような存在なのです。

現代においてふたたび『ザ・マスター・キー』とその著者であるチャールズ・ハアネルが脚光を浴び

るようになったのは、ビル・ゲイツがハーバード大学在学中に図書館でこの本を見つけ、それに触発されて起業を決意したという噂が広まったからです。それを契機にシリコンバレーでこの本が大ブームとなり、再販本が続々と刊行されるようになったのです。

『ザ・マスター・キー』の基本にあるのは、あらゆるエネルギーと物質を生み出す源は宇宙精神であり、個人の意識はそのエネルギーを分配する回路にすぎない、という考えです。宇宙精神そのものは静的なエネルギーで、個人の思考がそのエネルギーに働きかけて、宇宙精神を顕在化させるというのです。その時に働くのが「引き寄せの法則」です。心に抱く思いがそれに対応する状況を引き寄せるということです。心に不安があれば、不安な状況が周りに引き寄せられ、幸福だという意識で生きていれば、幸福な状況が周りに出来上がるというのです。

こうした考えの背後にあるのは、ヨガの科学だと言って間違いありません。実際にハアネルは本書の中でヨガの生理学とでも呼べるような理論をいたるところで展開しています。ヒンドゥーの聖者、パラマハンサ・ヨガナンダがババジから受け継いだクリヤ・ヨガをひっさげてアメリカに上陸するのは一九二〇年のことですが、それ以前からヨガの精神科学は、オックスフォード大学のエバンスウェンツ博士らによって西洋社会に紹介されていたのです。ハアネルは大胆にも、自己啓発の世界に、東洋の精神性を導入しようとしたのです。

現在、「引き寄せの法則」がもてはやされている背景には、直観医療や波動医学の台頭があるのも見逃せません。というのも、並外れた透視能力を持つ直観医療者たちは、患者がエネルギー波動の高低によって、病気を引き寄せたり、病気が癒えたりする現象を目の当たりにし、数多くの奇跡的治癒を行っているからです。

本書が二四章から成る手引書という体裁で書かれているのは、もともと二四のレッスンから成る通信教育のコースとして、一週間にワン・レッスンずつ配られていたものだからです。各章の終わりに、QアンドAが掲載されている版もあるのですが、内容的に重複する部分が多いので、掲載されていない版を使って訳出しました。

自己啓発の古典中の古典と言っていい本書を翻訳する機会を与えてくださった河出書房新社の田中優子さんにこの場を借りて感謝したいと思います。本書の言葉が、読者の人生の航路を照らす灯台のともし火になってくれんことを心から願っています。

二〇〇七年八月二七日

菅　靖彦

Charles F.Haanel :**THE MASTER KEY SYSTEM**
First published in 1917

ザ・マスター・キー

2007年10月30日　初版発行
2007年11月29日　２刷発行

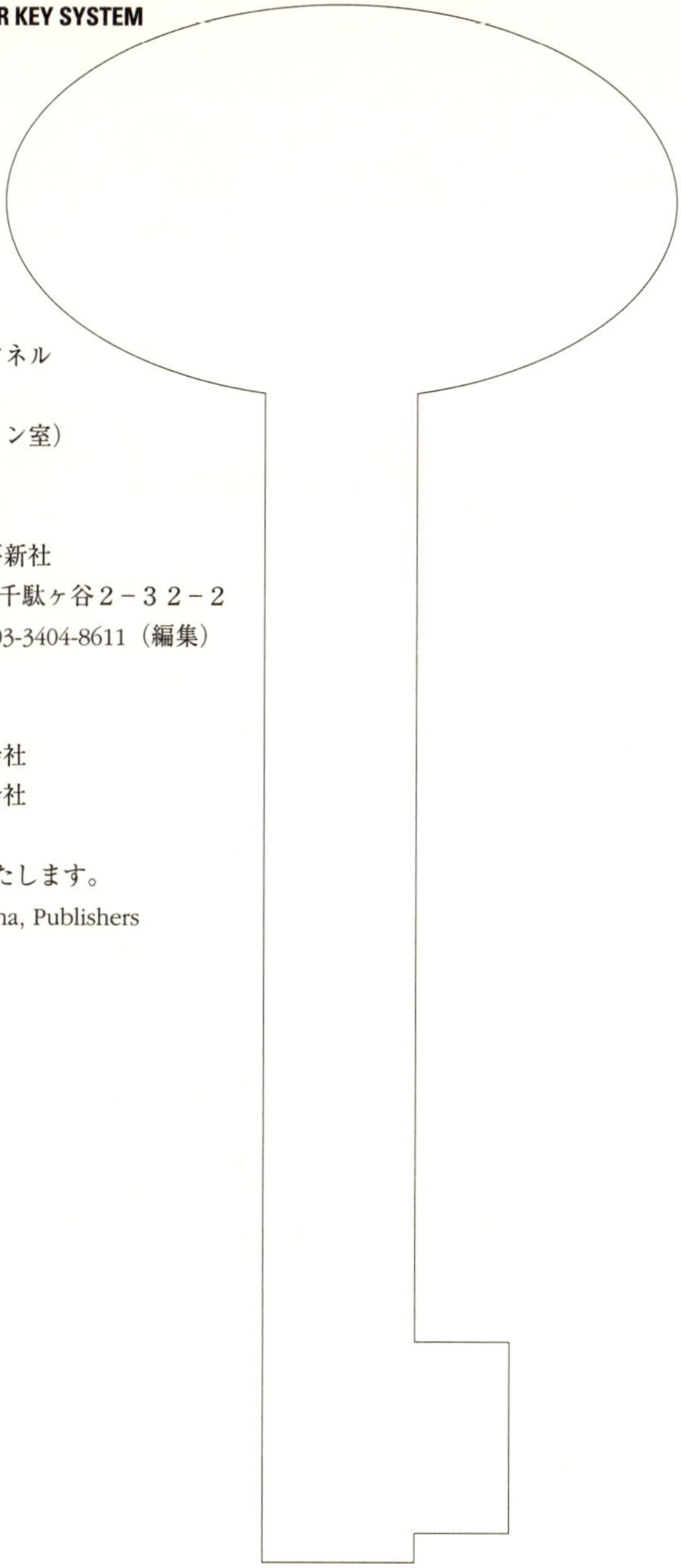

著者　チャールズ・F・ハアネル
訳者　菅　靖彦
装丁　岡本洋平（岡本デザイン室）

発行者　若森繁男
発行所　株式会社　河出書房新社
〒151－0051　東京都渋谷区千駄ヶ谷２－３２－２
電話　03-3404-1201（営業）03-3404-8611（編集）
http://www.kawade.co.jp/

印刷所　中央精版印刷株式会社
製本所　小高製本工業株式会社
ISBN978-4-309-24426-6
落丁·乱丁本はお取り替えいたします。